Centre international d'études pédagogiques

Réussir le DELF

B1

Gilles Breton
Sylvie Lepage
Marie Rousse

didier

Crédits photographiques et illustrations

7		Chip Simmons / Taxi / GettyImages
16		Hervé Hughes / hemis.fr
17		Les Restaurants du Cœur
17	bd	Choucashoot – Fotolia.com
17	bg	Elnur – Fotolia.com
17	bm	Luminis – Fotolia.com
19		Photo : Franck Prignet
21		Fondation AFP
22		Yamou, *Un nuage de graines*
23		French Institute Alliance Française de New York
24		Fondation AFP
24		AFP
27		Franck Guiziou / hemis.fr – © Jean Nouvel / Musée du Quai Branly – ADAGP, Paris 2010
		© Jean Nouvel + Gilles Clément / Musée du Quai Branly – ADAGP, Paris 2010
43		Brand New Images / Stone / GettyImages
47		Maurizio Borgese / hemis.fr
54		Collection ChristopheL
60	bg	Yves Talensac / Photononstop
60	md	Bertrand Gardel / hemis.fr
61	hd	Camille Moirenc / hemis.fr
61	mg	Christophe Boisvieux / hemis.fr
62		Camille Moirenc / hemis.fr
65		Eric Audras / GettyImages
73		Image Source / GettyImages
77		Patrick Ward / Corbis
78		Image source / GettyImages
81		ddraw – Fotolia.com
82		Patrick Cerf
89		Stockbyte / GettyImages
94		Serj Siz`kov – Fotolia.com
95		Hamilton / Réa
97		Colin Hawkins / GettyImages
100		LWA / Photographer's Choice / GettyImages
101		Gio Barto / Tips / Photononstop
102		LWA / Photographer's Choice / GettyImages
104	bd	Shioguchi / The Image Bank / GettyImages
104	hd	Collection ChristopheL
111		LWA / Photographer's Choice / GettyImages
112	bd, bg, bm	Fabienne Boulogne
112	hd, hg, hm	Aurélia Galicher
116		LWA / Photographer's Choice / GettyImages
117		Collection ChristopheL
119		LWA / Photographer's Choice / GettyImages
122		LWA / Photographer's Choice / GettyImages
124		LWA / Photographer's Choice / GettyImages
125		LWA / Photographer's Choice / GettyImages
126		LWA / Photographer's Choice / GettyImages
127		LWA / Photographer's Choice / GettyImages
131		JupiterImages / GettyImages
133		J'ai Lu
138		© Mireia SALAZAR / www.femme2decotv.com
141	bg	Seizo Terasaki / Taxi / GettyImages
141	hd	Asia Images Group / GettyImages
141	hg	Fuse / GettyImages
143		Fuse / GettyImages
145		Nicolas Tavernier / Réa
147	bg	Dicom@mairie de Paris
147	hd	Prêt photo WWF France, programme Gites Panda (www.wwf.fr)
149		Peter and Georgina Bowater / Tips / Photononstop
150	bm	Jim Wileman / Alamy / hemis.fr
150	hd	Thomas Barwick / Lifesize / GettyImages
153		SW Productions / Photodisc / GettyImages
154		Garry Wade / Taxi / GettyImages
155		Jérome Salort – Fotolia.com
157	bg	Zephir / Photodisc / GettyImages
157	hd	Matt Gray / Photodisc / GettyImages
167		ddraw – Fotolia.com

Nous avons recherché en vain les éditeurs ou les ayants droit de certains textes ou illustrations reproduits dans ce livre. Leurs droits sont réservés aux Éditions Didier.

Conception maquette intérieure et couverture : **Avis de passage**
Mise en page : **SG Production**
Illustrations : **Gabriel Rebufello**
Schémas / docs : **SG Production**
Photogravure : **SG Production**
Crédits CD audio : Enregistrements, montage et mixage : **Fréquence Prod**
Piste 19 : Interview de Pauline (© Quart de Lune SARL),
Piste 21 : Interveiw de Faiza Hajji Wozniak, avec tous nos remerciements,
Piste 22 : Interview de Abderrahim Yamou, avec tous nos remerciements,
Piste 23 : Tous nos remerciements à Monsieur Emmanuel Lainé, Vice-Président de l'Alliance Française de New York (FIAF) pour nous avoir accordé l'autorisation de faire réenregistrer son interview,
Pistes 25-26 : Tous nos remerciements au journaliste et au Président de Rollers et Coquillage (© Pavillon de l'Arsenal),
Pistes 27-28-29 : Tous nos remerciements à Madame Hana Chidiac, responsable des Collections Afrique et Moyen-Orient (© Musée du Quai Branly) pour nous avoir accordé l'autorisation de faire réenregistrer son interview.

PAPIER À BASE DE FIBRES CERTIFIÉES

éditions didier s'engagent pour l'environnement en réduisant l'empreinte carbone de leurs livres. Celle de cet exemplaire est de :

1 kg éq. CO$_2$
Rendez-vous sur
www.editionsdidier-durable.fr

© Les Éditions Didier, Paris 2010 – ISBN 978-2-278-06449-6
Achevé d'imprimer en février 2014 par Orymu, S.A. en Espagne – Dépôt légal : 6449/09

Préface

Les ouvrages de la collection « Réussir le DELF » sont rédigés et validés par la commission nationale du DELF (diplôme d'études en langue française) et du DALF (diplôme approfondi de langue française). Ils proposent un entraînement au format des épreuves des diplômes DELF.

Chaque année, plus de 330 000 candidats présentent, au cours de l'une des sessions organisées par les centres agréés (plus de 1 000 à travers le monde), les épreuves d'un diplôme DELF dans l'un des pays qui organisent ces examens.

Le DELF et le DALF sont les diplômes officiels du ministère français de l'Éducation. Ils sont présents dans 165 pays, et sont donc reconnus au niveau international.

Certains pays, de plus en plus nombreux, accordent des reconnaissances locales aux titulaires de ces diplômes. À titre d'exemple, un DELF peut dispenser de tout ou partie de certains examens locaux de français ; peut permettre d'obtenir une promotion, un avancement, une prime salariale ; peut être pris en compte pour un recrutement professionnel, pour une promotion dans une entreprise française ou francophone, pour une formation ; peut permettre d'obtenir l'autorisation d'enseigner ; peut donner lieu à la délivrance d'une attestation locale de compétence…

Les titulaires du DELF B2 sont par ailleurs dispensés de tout test linguistique d'entrée dans les universités françaises[1].

L'appellation « DELF » est ainsi devenue, au fil des années, une référence, une sorte de « label France » indispensable pour qui souhaite faire certifier ses compétences en français.

Le DELF est constitué de **4 diplômes indépendants les uns des autres** correspondant aux 4 premiers niveaux du *Cadre européen commun de référence pour les langues* (CECRL) :

2h30	DELF B2	B2	Indépendant
1h45	DELF B1	B1	
1h40	DELF A2	A2	Élémentaire
1h20	DELF A1	A1	

Chaque diplôme évalue les 4 compétences : compréhension et expression orales, compréhension et expression écrites. L'obtention de la moyenne (50 points sur 100) à l'ensemble des épreuves permet la délivrance du diplôme correspondant.

La commission nationale du DELF et du DALF vous souhaite une bonne lecture, un bon entraînement et une bonne réussite au(x) diplôme(s) DELF que vous présenterez.

Christine TAGLIANTE
Responsable du Département évaluation et certifications
CIEP – Sèvres

(1) Arrêté du 18 janvier 2008, paru au Journal officiel du 5 février 2008.

Avant-propos

Cet ouvrage s'adresse aux adultes qui ont atteint un niveau intermédiaire en français langue étrangère après 330 à 400 heures d'apprentissage, ainsi qu'à leurs enseignants. Il constitue un outil de préparation — en autonomie ou en classe — aux différentes épreuves de l'examen DELF B1 apportant aux candidats la méthodologie qui leur permettra d'obtenir leur diplôme.

Le diplôme DELF B1 atteste des compétences en français telles que le *Cadre européen commun de référence* pour les langues les définit pour ce niveau :

B1	Peut comprendre les points essentiels quand un langage clair et standard est utilisé et s'il s'agit de choses familières dans le travail, à l'école, dans les loisirs, etc. Peut se débrouiller dans la plupart des situations rencontrées en voyage dans une région où la langue cible est parlée. Peut produire un discours simple et cohérent sur des sujets familiers et dans ses domaines d'intérêt. Peut raconter un événement, une expérience ou un rêve, décrire un espoir ou un but et exposer brièvement des raisons ou explications pour un projet ou une idée.

Réussir le DELF B1 se compose ainsi :

- Les 4 compétences langagières (compréhension de l'oral et compréhension des écrits, production / interaction écrite et production / interaction orale) sont étudiées selon une approche progressive en 3 parties :

  Pour vous aider : une présentation de l'épreuve et du barème, accompagnée de conseils.

  Pour vous entraîner : une série d'exercices pour travailler en profondeur des points particuliers.

  Vers l'épreuve : des tâches pour se familiariser avec le format des épreuves de l'examen.

Vous trouverez à chaque étape des conseils de méthode pour guider votre approche des activités en vue de l'épreuve.

Dans la partie « Pour vous entraîner », des « boîtes à outils » proposent des expressions courantes et des amorces de phrases destinées à enrichir le lexique et varier la formulation en production écrite et orale.

- Une grille d'auto-évaluation permet de vérifier les acquisitions pour chaque compétence à la fin de chaque chapitre.

- Des dossiers socioculturels pour chaque domaine du *Cadre européen de référence pour les langues* (personnel, public, professionnel, éducationnel) apportent des informations qui permettent de mieux connaître les Français ou bien qui seront utiles à ceux qui souhaitent visiter la France, venir y étudier ou y travailler.

- Une épreuve blanche au format de l'examen officiel propose un exemple des sujets à traiter dans les 4 compétences.

- Les corrigés des exercices.

- Les transcriptions des documents sonores.

Les documents exploités dans les différentes compétences contiennent des informations pratiques et culturelles qui, nous l'espérons, seront motivantes pour l'apprentissage.

Nous souhaitons à tous les futurs candidats de réussir l'examen du DELF B1.

Gilles Breton – Sylvie Lepage – Marie Rousse
Département évaluation et certifications
Centre international d'études pédagogiques (CIEP)

SOMMAIRE

Le picto 🔊1 vous indique le numéro de la piste du CD à écouter pour faire l'activité.

COMPRÉHENSION DE L'ORAL

Descripteur global

✓ Peut comprendre une information factuelle directe sur des sujets de la vie quotidienne ou relatifs au travail en reconnaissant les messages généraux et les points de détail, à condition que l'articulation soit claire et l'accent courant.

✓ Peut comprendre les points principaux d'une intervention sur des sujets familiers rencontrés régulièrement au travail, à l'école, pendant les loisirs, y compris des récits courts.

Comprendre une interaction entre locuteurs natifs

✓ Peut généralement suivre les points principaux d'une longue discussion se déroulant en sa présence, à condition que la langue soit standard et clairement articulée.

Émissions de radio et enregistrements

✓ Peut comprendre l'information contenue dans la plupart des documents enregistrés ou radio-diffusés, dont le sujet est d'intérêt personnel et la langue standard clairement articulée.

✓ Peut comprendre les points principaux des bulletins d'information radiophoniques et de documents enregistrés simples, sur un sujet familier, si le débit est assez lent et la langue relativement articulée.

pour vous **aider**

➡ **NATURE DE L'ÉPREUVE**

L'épreuve de compréhension orale comporte 3 parties. Il s'agit chaque fois de répondre à un questionnaire de compréhension portant sur un document sonore.

Voici un tableau qui schématise l'**organisation de l'épreuve** :

Durée totale de l'épreuve	25 minutes environ.
Nombre de documents à écouter	3 documents.
Nombre d'écoutes	2 écoutes pour chaque document.
Durée totale des enregistrements	6 minutes.
Durée de chaque enregistrement	– de 1 à 1 minute et 30 secondes maximum pour le 1er document ; – de 2 à 3 minutes maximum pour le 2e document ; – de 2 à 3 minutes maximum pour le 3e document.
Quand lire les questions ?	Vous avez 30 secondes pour lire les questions avant le 1er et le 2e document, 1 minute pour lire les questions avant le 3e document.
Quand répondre aux questions ?	Il est conseillé de commencer à répondre aux questions après la 1re écoute (si vous commencez à répondre avant la fin du document, vous risquez de ne pas entendre des informations importantes). Le temps de pause entre les deux écoutes est de 30 secondes pour le 1er et le 2e document et de 3 minutes pour le 3e document. Après la 2e écoute, vous aurez encore 1 minute pour compléter vos réponses pour le 1er et le 2e exercice et 2 minutes pour le 3e document.
Nombre de points	Le 1er exercice est sur 6 points, le 2e sur 8 points et le 3e sur 11 points.

Un exercice (ou « tâche ») se déroule toujours de la même manière :
1. vous lisez les questions ;
2. vous écoutez une 1re fois l'enregistrement ;
3. vous commencez à répondre ;
4. vous écoutez une 2e fois l'enregistrement ;
5. vous finissez de répondre aux questions.

Le 1er document

Le premier document est toujours un dialogue de la vie quotidienne.
L'objectif est de tester votre **compréhension globale**.
On vous posera cinq ou six questions sur les informations essentielles du document :
le sujet, la fonction du document, les opinions des interlocuteurs, etc.
Les questions sont des QCM (on vous fait plusieurs propositions et vous devez choisir la bonne réponse) ou des questions ouvertes (vous devez rédiger une réponse assez courte en quelques mots ou une phrase).

Le 2e et le 3e document

Ce sont des documents de type radiophonique : des bulletins d'information ou bien des interviews.
L'objectif est de tester votre **compréhension globale et détaillée**.
Ils comportent davantage de questions car ils sont un peu plus longs.
Là aussi, on testera votre compréhension globale des documents. Puis on vous posera des questions sur des informations plus détaillées.
Pour ces 3 tâches, l'objectif est le même : on vérifie une compréhension fonctionnelle, centrée sur la signification de ce qui est entendu.

➡ SAVOIR-FAIRE REQUIS ET SUJETS

Les principaux savoir-faire requis pour réussir cette épreuve sont :
– saisir la nature et la spécificité des documents ;
– être capable de dégager le thème principal (compréhension globale) ;
– identifier le ou les locuteurs et leur fonction ;
  extraire les informations essentielles ;
– expliciter les informations importantes ;
– extraire des informations précises et détaillées mais essentielles à la compréhension globale.

Les documents que vous entendrez seront tous enregistrés en langue standard et ne comporteront pas ou peu d'expressions idiomatiques.

Vous pourrez entendre :
– des dialogues sur des sujets familiers (vie quotidienne, loisirs, école) ou des dialogues portant sur l'obtention de biens ou de services (situation à la poste, achat de places de concert, etc.) ;
– des extraits d'émissions d'intérêt général ou des bulletins d'information ;
– des extraits d'interviews de personnalités francophones (chanteurs, sportifs, etc.) ;
– des annonces dans des lieux publics, des informations telles qu'un bulletin météo, des instructions dans un avion, des audio-guides (visites dans un musée par exemple), des renseignements, des consignes, des instructions.

➡ CONSEILS DE MÉTHODE

Il faut **bien lire les consignes** qui précisent les situations et fixent les objectifs de l'écoute. Une lecture attentive des consignes et des questions vous permet de bien comprendre ce qu'on vous demande et vous permet également d'orienter votre écoute.

Dans un examen du DELF, comme dans la vie réelle, on ne vous demande pas de tout comprendre et **vous pourrez répondre aux questions même si vous ne comprenez pas certains mots du document.**

Sachez aussi que **les questions suivent toujours l'ordre du document** (mises à part certaines questions qui portent sur l'ensemble du document : elles seront alors placées soit tout au début, soit tout à la fin du questionnaire). La première question est toujours une question de compréhension globale.

Pendant la 1re écoute, concentrez-vous sur le sens général du document. Notez seulement les réponses qui vous paraissent évidentes.

Après la 1re écoute, notez vos réponses. Si vous ne trouvez pas la réponse à une question, passez à la question suivante.

Attendez la 2e écoute pour compléter les réponses sur lesquelles vous aviez des hésitations.

Lorsque les questions sont ouvertes, **on attend une réponse brève** composée de quelques mots ou une phrase très simple. **Il n'est donc pas nécessaire de rédiger** de longues phrases complexes, cela vous ferait perdre du temps. Votre orthographe ne sera pas pénalisée. Écrivez ce que vous comprenez, même si vous faites des erreurs d'expression.

pour vous **entraîner**

Conseils de méthode
Les activités proposées ici permettent dans un premier temps de vous entraîner à atteindre un objectif particulier à chaque fois. Puis, progressivement, elles combinent plusieurs objectifs. Vous pouvez écouter plusieurs fois le document si nécessaire.

1 Saisir la nature et la fonction d'un document

Activité 1 : L'intention de communication

Un document peut simplement avoir pour objectif de donner une information, mais il peut parfois répondre à une intention particulière : convaincre l'auditeur, faire partager une opinion personnelle, critiquer, etc. L'intention de communication, c'est l'effet que l'on veut produire sur l'auditeur.

Écoutez les extraits et indiquez pour chacun (en cochant les cases du tableau) quelle est l'intention de communication.

	Extrait 1	Extrait 2	Extrait 3	Extrait 4	Extrait 5	Extrait 6
Informer						
Critiquer						
Convaincre						
Présenter						
Témoigner						
Conseiller						

Activité 2 : Les rubriques radio

Écoutez les extraits d'un flash d'information et associez chaque extrait à la rubrique qui convient.

	Extrait 1	Extrait 2	Extrait 3	Extrait 4	Extrait 5	Extrait 6
Faits divers						
Loisirs						
Culture						
Santé						
Économie						
Politique						

Activité 3 : Les messages personnels

Écoutez les messages laissés sur le répondeur de Maxime.

Indiquez ce que doit faire Maxime pour chacune de ces personnes :

Message 1 : sa femme.	
Message 2 : sa fille.	
Message 3 : sa mère.	
Message 4 : une amie.	
Message 5 : sa sœur.	

Activité 4 : Les messages de travail

Vous sortez d'une réunion et vous avez trouvé des messages sur votre répondeur téléphonique au bureau.

Pour chaque message, notez ce que vous devez faire.

Message 1	
Message 2	
Message 3	
Message 4	
Message 5	

Activité 5 : L'objectivité ou la subjectivité

Vous allez entendre six phrases. Pour chacune d'elles, dites si la personne qui parle formule une appréciation positive ou négative ou si elle présente un simple fait.

	Phrase 1	Phrase 2	Phrase 3	Phrase 4	Phrase 5	Phrase 6
Appréciation positive						
Appréciation négative						
Présentation d'un fait						

 ### Activité 6 : Les opinions

Sept personnes sont interrogées sur leur profession. Écoutez et indiquez si ces personnes sont heureuses dans leur travail.

	Pierre	Corinne	Marie-Jo	Nicolas	Christiane	Antoine	Robert
Pas du tout							
Assez							
Très							

 ### Activité 7 : Les sentiments

Sept personnes différentes s'expriment. Écoutez-les et indiquez leur sentiment.

	1re personne	2e personne	3e personne	4e personne	5e personne	6e personne	7e personne
Surprise							
Déception							
Impatience							
Inquiétude							
Colère							
Doute							
Enthousiasme							

2 Extraire les informations essentielles

Dans une interaction entre deux locuteurs natifs, il faut avant tout saisir la situation de communication. Cela peut se résumer par les questions suivantes :
– qui parle à qui ?
– dans quelles circonstances ?
– de quoi ?
– quels sont les attitudes, opinions et sentiments exprimés ?
– quelles sont les informations importantes ?

Activité 8 : Une expérience en cours de français

Écoutez la conversation pour repérer et noter les informations suivantes :

Quelles sont les personnes qui parlent ?	
De quoi parlent-elles ?	
Quelles sont les attitudes, opinions et sentiments exprimés ?	
Quelles sont les informations importantes entendues ?	

Les documents sonores de type émission de radio qui vous seront proposés au niveau B1 sont très souvent à caractère informatif.
Ils ont pour fonction de communiquer des informations utiles sur un sujet donné.
Selon le cas, il peut s'agir de présenter des événements passés ou présents, des lieux ou des personnes, des œuvres, des produits, etc. Il peut aussi s'agir d'informations utiles ou de conseils pour la vie de tous les jours.
Les questions varient d'un document à l'autre. Cependant, certains éléments importants se retrouveront dans bon nombre de questionnaires :
– quel est le sujet abordé par le document ?
– quelles sont les informations les plus importantes ?

Activité 9 : Les poupées de papier

Écoutez le document radiophonique pour repérer et noter les éléments suivants :

Quel est le sujet abordé par le document ?	
Quelles sont les informations les plus importantes ?	

Activité 10 : Bonne nuit !

11

Écoutez le document radiophonique pour repérer et noter les éléments suivants :

Quel est le sujet abordé par le document ?	....
Quelles sont les informations les plus importantes ?	....
Quelles sont les informations complémentaires qui vous paraissent importantes ?	....

Activité 11 : Le soir, après l'école

12

Écoutez le document radiophonique pour repérer et noter les éléments suivants :

Quel est le sujet abordé par le document ?	....
De quel type de problème parle le document ?	....
Quels sont les conseils donnés aux parents ?	....
Qu'est-ce qu'il ne faut surtout pas faire ?	....

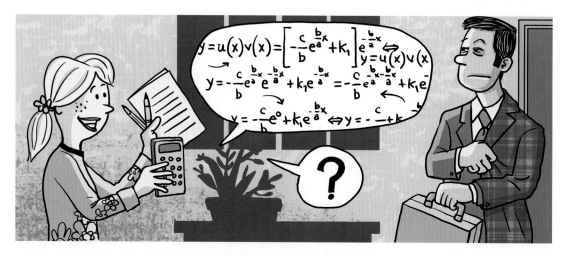

3 Extraire des informations précises et détaillées

Activité 12 : Correspondante du journal *Le Monde*

Écoutez le document. Notez les informations que vous entendez à la 1re écoute, puis écoutez une 2e fois pour compléter.

Quels sont les pays et quelle est la région où travaille la correspondante du journal *Le Monde* ?	
Pourquoi est-ce que les journaux n'ont pas de correspondants dans tous les pays du monde ?	
Pourquoi les articles sont-ils de type « magazine » ?	
Citez 2 types d'articles qui peuvent intéresser les lecteurs.	
Qu'est-ce qui facilite le travail des journalistes en Australie ou en Nouvelle-Zélande ?	

Activité 13 : Les Français et la cuisine

Écoutez le document. Notez les informations que vous entendez à la 1re écoute, puis écoutez une 2e fois pour compléter.

Combien de temps les Français passent-ils chaque jour à faire la cuisine ?	
Donnez 2 raisons pour lesquelles les Français font la cuisine.	
Citez 3 choses qui montrent que les Français aiment varier les plats qu'ils préparent.	
Quelle comparaison est établie entre les Français et les Européens ?	
Quel type de soirées a beaucoup de succès auprès des adultes ?	

vers l'épreuve

Dans cette partie « vers l'épreuve », essayez de vous entraîner en respectant les conditions de l'examen.
Pour les exercices 1 à 8, voici le déroulement de l'épreuve et le rythme à suivre :
1) lisez les questions (30 secondes) ;
2) écoutez le document une 1re fois ;
3) commencez à répondre aux questions (30 secondes) ;
4) écoutez le document une 2e fois ;
5) complétez vos réponses (1 minute).

Pour répondre aux questions, cochez la bonne réponse ou écrivez l'information demandée.

EXERCICE 1   6 POINTS

*Vous allez écouter une conversation téléphonique
entre Pascale et Robert.*

1. Pourquoi Pascale téléphone-t-elle à Robert ?   *1 point*
❏ Pour annoncer son arrivée.
❏ Pour poser des questions sur Paris.
❏ Pour demander un conseil.

2. Lors de La Nuit des musées, les musées…   *1 point*
❏ … sont ouverts toute la nuit.
❏ … sont à moitié prix.
❏ … proposent des choses inhabituelles.

3. Quel pays est à l'origine de La Nuit
des musées ?   *1 point*

....

....

Le Penseur, Auguste Rodin.

4. Comment sait-on que cette idée a eu du succès ?   *1 point*
Donnez 2 éléments de réponse.

....

....

5. Pourquoi est-ce que Robert hésite à aller au Musée Rodin ?   *1 point*
❏ Il l'a vu il n'y a pas longtemps.
❏ Il préfère aller au Musée du Moyen Âge.
❏ Il pense qu'il y aura trop de visiteurs.

6. Qu'est-ce que propose Robert à Pascale pour son arrivée ?   *1 point*

....

....

EXERCICE 2   6 POINTS

Vous allez écouter une conversation entre deux amis, Caroline et Max.

1. Lorsque Caroline arrive, Max …   *1 point*
❏ … lui fait un compliment.
❏ … l'accueille avec joie.
❏ … montre son impatience.

2. Qu'est-ce que Caroline annonce à Max ?   *1 point*
❏ Elle a changé de travail.
❏ Elle donne de son temps à une association.
❏ Elle a ouvert un restaurant.

3. Qui a créé les Restos du Cœur ?   *1 point*
....

4. Citez 2 actions menées par les Restos du Cœur :   *1 point*
....
....

5. Caroline dit…   *1 point*
❏ … qu'il y a beaucoup d'associations de ce type dans le monde.
❏ … que cette association est unique et souhaite le rester.
❏ … que l'association est prête à aider ceux qui veulent suivre ce modèle.

6. Que propose Caroline à Max à la fin de la conversation ?   *1 point*
....
....

EXERCICE 3   6 POINTS

Vous allez écouter une conversation entre deux amis, Jean et Émilie. Celle-ci est en visite à Paris. (Questions 1, 2, 5 et 8 = 0,5 point chacune ; questions 3, 4, 6 et 7 = 1 point chacune)

1. Jean est …
❏ … surpris de revoir Émilie.
❏ … heureux de revoir Émilie.
❏ … ennuyé de revoir Émilie.

2. Jean ne se sert pas souvent des Vélibs car…
❏ … il ne fait pas très bien du vélo.
❏ … c'est difficile de faire du vélo dans Paris.
❏ … il préfère utiliser son propre vélo.

3. Qu'est-ce qui montre que les Vélibs ont beaucoup de succès ?
....
....

4. Quels types d'abonnement peuvent prendre les touristes ? (Donner 2 réponses.)
....
....

5. Pendant combien de temps le trajet est-il gratuit ?
....

6. Que font certaines personnes pour éviter de payer la location ?
....

7. Pourquoi est-il difficile de garer son vélo le matin ?
....
....

8. Qu'est-ce que Jean conseille à Émilie ?

❏   ❏   ❏

EXERCICE 4   6 POINTS

Vous allez écouter une conversation entre un jeune homme et ses parents.

1. Au début de la conversation, les parents félicitent-ils leur fils ? Pourquoi ?   *0,5 point*

....

....

2. Qu'est-ce que le jeune homme a décidé de faire l'année prochaine ?   *0,5 point*

....

....

3. Quelle est la réaction du père ?   *0,5 point*
☐ Il est mécontent.
☐ Il est agréablement surpris.
☐ Il est indifférent.

4. Que veut faire le jeune homme pendant cette année ?   *0,5 point*

....

....

5. Comment réagit sa mère ?
Elle a peur…   *0,5 point*
☐ … qu'il s'ennuie.
☐ … que ça leur coûte cher.
☐ … que son fils ait le mal du pays.

6. Pourquoi le jeune homme a-t-il choisi d'aller en Australie ?   *0,5 point*

....

7. Pourquoi le jeune homme risque-t-il de ne pas revenir selon le père ?   *0,5 point*
☐ Beaucoup de jeunes ont envie de s'installer en Australie.
☐ Le jeune homme risque de tomber amoureux.
☐ La vie est moins chère là-bas qu'en France.

8. Pourquoi le jeune homme critique-t-il le fait de s'inscrire directement à l'université après le bac ?   *1 point*

....

9. Pourquoi la mère accepte-t-elle finalement que son fils parte ?   *0,5 point*
☐ Il apprendra à parler l'anglais couramment.
☐ Il pourra vivre une expérience extraordinaire.
☐ Il trouvera plus facilement du travail à son retour.

10. Que regrette cependant la mère ?   *1 point*

....

EXERCICE 5   8 POINTS

Vous allez écouter une jeune chanteuse, Pauline, parler de son métier.

1. À quelle occasion cette interview a-t-elle été faite ?   *1 point*

....

2. Pourquoi Pauline est-elle devenue chanteuse ?   *0,5 point*
☐ C'était ce qu'elle voulait faire depuis toujours.
☐ Des amis chanteurs lui ont demandé de chanter avec eux.
☐ Elle écrivait des chansons et voulait les faire connaître.

3. Ce qui demande à Pauline le plus d'efforts, c'est…   *0,5 point*
☐ … d'écrire des chansons.
☐ … de s'entraîner tous les jours à jouer et à chanter.
☐ … de composer la musique.

http://www.paulineparis.com.

4. L'année que Pauline a vécue en Angleterre était…   *0,5 point*
☐ … éprouvante.
☐ … étonnante.
☐ … émouvante.

5. Quels sont les 2 changements que Pauline a connus après son année en Angleterre ?   *1 point*

....

....

6. Citez 2 chanteurs qui ont influencé Pauline :   *1 point*

....

....

7. Quelle expression utilisée par Pauline signifie qu'elle exprime des choses qui la touchent beaucoup ?   *1 point*

....

8. Pourquoi Pauline a-t-elle dû changer la musique de la chanson *Un pour deux* ?   *0,5 point*
☐ Joe Dassin n'aimait pas la musique qu'elle avait écrite.
☐ Elle s'est aperçue qu'elle avait copié une musique de Joe Dassin.
☐ Sa mère lui a conseillé d'écrire une musique plus gaie.

EXERCICE 6   8 POINTS

Vous allez écouter la chanson de Pauline Un pour deux.

1. Quel est le thème de cette chanson ?   *2 points*

....

2. Au début de la chanson, on comprend que la jeune femme est…   *1 point*
- ❏ … amoureuse.
- ❏ … triste.
- ❏ … solitaire.

3. De quoi parle-t-elle ensuite ?   *1 point*
- ❏ Du plaisir de partager.
- ❏ Du manque d'argent.
- ❏ Des goûts communs.

4. Quels sont ensuite les sentiments exprimés ? (Attention, il y a plusieurs réponses)   *2 points*
- ❏ La peur.
- ❏ La tristesse.
- ❏ La colère.
- ❏ La jalousie.
- ❏ L'ennui.

5. À la fin de la chanson, on comprend…   *2 points*
- ❏ … qu'elle n'arrive pas à se contrôler.
- ❏ … qu'elle a retrouvé la joie de vivre.
- ❏ … qu'elle est indifférente à tout.

EXERCICE 7   8 POINTS

Vous allez écouter une interview de Faiza Hajji Wozniak.
Faiza Hajji Wozniak est une jeune Marocaine qui a reçu le premier prix à l'issue du concours de photos sur l'Afrique et l'environnement, intitulé « Imaginez : Prendre soin de la planète terre ». Ce concours était organisé par le Programme des Nations Unies pour le Développement (PNUD).

1. Quelle était la particularité des photos de Faiza ?   *1 point*
- ❏ Elles avaient été faites spécialement pour le concours.
- ❏ Elles montraient les différents aspects d'un projet original.
- ❏ Elles avaient une qualité artistique supérieure aux autres.

2. Citez 2 étapes du processus de recyclage des sacs plastique :   *2 points*

....

....

3. En quoi sont transformés les sacs en plastique à la fin du recyclage ? *1 point*

....

....

4. Pourquoi Faiza dit-elle que la matière première est gratuite ? *1 point*

....

....

5. Quel est l'intérêt supplémentaire de ce projet ? *1 point*
❐ Il sert d'exemple aux pays en voie de développement.
❐ Il permet à des femmes marocaines d'avoir un revenu.
❐ Il incite les gens à ne plus jeter les sacs en plastique.

6. Que signifie le nom de la marque « ifassen » et pourquoi avoir choisi ce nom ? *1 point*

....

....

7. Dans quel(s) pays sont vendus ces produits ? *1 point*
❐ Au Maroc uniquement.
❐ En France et au Maroc.
❐ Dans quelques pays d'Europe et au Japon.

Voir www.ifassen.com pour davantage d'informations.

EXERCICE 8   8 POINTS

Vous allez écouter une interview du peintre et sculpteur Abderrahim Yamou.
Cet artiste partage sa vie entre la France et le Maroc.

1. Que représentait la peinture pour Yamou quand il était enfant? *1 point*

....

....

2. Pourquoi Yamou n'a-t-il pas fait d'études d'arts plastiques? *1 point*

....

....

3. Quelles études a-t-il faites? Citez 2 disciplines. *1 point*

....

....

Un nuage de graines, Yamou.

4. Qu'est-ce que Yamou a compris à l'âge de 30 ans? *1 point*

....

5. Quel sentiment éprouvait Yamou pour le Maroc quand il s'est mis à peindre professionnellement? *1 point*

....

6. Quelle image évoque-t-il à propos de la terre marocaine? *1 point*

....

7. Comment définit-il sa personnalité? *1 point*

....

....

8. Pourquoi se compare-t-il à un arbre? Que dit-il de ses racines et de ce qui l'a nourri? *1 point*

....

....

....

....

....

Pour les exercices 9 à 12, voici le déroulement de l'épreuve et le rythme à suivre :
1) lisez les questions (1 minute) ;
2) écoutez le document une 1re fois ;
3) commencez à répondre aux questions (3 minutes) ;
4) écoutez le document une 2e fois ;
5) complétez vos réponses (2 minutes).

Pour répondre aux questions, cochez la bonne réponse ou écrivez l'information demandée.

EXERCICE 9   **11 POINTS**

*Vous allez écouter une interview d'Emmanuel Lainé,
Vice-Président du Fiaf, c'est-à-dire l'Alliance française de New York.*

1. Comment est-ce qu'Emmanuel Lainé aide les professeurs à améliorer leurs cours ? Citez 2 exemples.   *2 points*

....

....

2. Quel est le budget du Fiaf ?   *1 point*

....

3. Quelle activité rapporte beaucoup d'argent à l'Alliance française de New York ?   *1 point*
☐ Les cours de langue.
☐ Les activités culturelles.
☐ Le club de théâtre.

4. L'Alliance française de New York a une dette* importante à cause :   *1 point*
☐ de la crise financière, ☐ de travaux importants, ☐ des coûts de fonctionnement.

5. Quelle est l'image que veut renvoyer l'Alliance française de New York ?   *1 point*

....

6. Quels sont les changements que le Vice-Président souhaite apporter aux cours ?
Citez-en 2.   *2 points*

....

7. Quels types de personnalités les étudiants de l'Alliance française de New York peuvent-ils rencontrer ? Citez-en 2.   *2 points*

....

8. Qu'est-ce qui montre que l'un des festivals de l'Alliance française de New York
est très apprécié ?   *1 point*

....

* dette : argent qu'on doit rembourser à la banque

EXERCICE 10   11 POINTS

Vous allez écouter une interview de Robert Holloway, directeur de la Fondation AFP (Agence France-Presse). (Questions 1, 2, 3, 5 et 6 = 1 point chacune ; questions 4, 7 et 8 = 2 points chacune)

1. Quel est le but de la Fondation AFP ?

....

....

....

2. Qu'est-ce qui différencie la Fondation AFP des autres grandes fondations ?

....

....

3. Qu'est-ce qui différencie la Fondation AFP des écoles de journalisme ?

....

....

....

4. Citez 2 des domaines de formation proposés par la Fondation AFP :

....

....

....

5. Le projet au Liban est important. Pourquoi ?

....

....

6. Quel est le but du projet au Liban ?

....

....

7. Qui finance les projets de la Fondation AFP ? Donnez 2 exemples :

....

....

....

....

....

8. Dans quelles parties du monde la Fondation AFP effectue-t-elle sa formation ?

....

....

....

EXERCICE 11   11 POINTS

Vous allez écouter une interview du Président de l'association Rollers & Coquillages. Comme cet enregistrement est plus long que ceux proposés lors de l'épreuve de DELF B1, il est découpé en 3 parties.

Première partie *(Questions 1, 2, 3, 5, 6 et 7 = 1 point chacune ; question 4 = 0,5 point chacune)*

Écoutez la 1re partie et répondez d'abord aux questions de cette partie :

1. Qu'est-ce qui a favorisé le développement du roller dans les années 90 ? Et pourquoi ?

....

....

2. Quel est le but de l'association Rollers & Coquillages ?

....

....

3. Qu'est-ce qui montre que le roller est devenu un mode de déplacement fréquent ?

....

....

4. Quelle voie le Président de l'association déconseille-t-il de prendre ?

....

....

5. Citez 2 avantages du roller :

....

....

6. Classez les moyens de transport du plus rapide au plus lent, selon le test de rapidité effectué :

les transports en commun / la voiture / le roller / le vélo

1. ....

2. ....

3. ....

4. ....

7. Citez 2 facteurs qui peuvent permettre le développement du roller :

....

....

Deuxième partie

Écoutez maintenant la 2e partie et répondez aux questions :

1. Pourquoi les piétons n'aiment-ils pas voir les gens faire du roller sur le trottoir ?   *0,5 point*
☐ Parce qu'ils ont peur d'être heurtés.
☐ Parce que c'est interdit de rouler sur les trottoirs.
☐ Parce que les rollers ne font pas assez attention.

2. Citez 2 institutions avec lesquelles travaille l'association Rollers & Coquillages :   *1 point*

....

....

3. Citez 2 aspects, étudiés dans les commissions de travail, qui favoriseraient le développement du roller : *1 point*

....

....

4. Qu'est-ce qui montre que la Mairie de Paris et le ministre de la Jeunesse et des Sports accordent de l'importance au roller ? *1 point*

....

....

5. Quelle autre mesure est grandement attendue par l'association
Rollers & Coquillages ? *1 point*

....

....

EXERCICE 12 — 11 POINTS

Vous allez écouter l'interview de Hana Chidiac qui travaille au Musée du Quai Branly. Comme cet enregistrement est plus long que ceux proposés lors de l'épreuve de DELF B1, il est découpé en 3 parties.

27 Première partie : Le parcours d'Hana Chidiac *(Questions 1, 2, 6 et 7 = 1 point chacune ; questions 3, 4 et 5 = 0,5 point chacune)*

Écoutez la 1ʳᵉ partie et répondez d'abord aux questions de cette partie :

1. Pourquoi Hana Chidiac a-t-elle quitté le Liban ?

....

....

2. Citez 2 éléments qui ont rendu son adaptation difficile en Haute-Savoie :

....

....

3. Après son bac, Hana Chidiac s'est inscrite en Histoire de l'art et archéologie…
❐ … parce qu'elle ne savait pas quoi faire d'autre.
❐ … parce que ses parents le souhaitaient.
❐ … parce qu'elle voulait réaliser un rêve.

4. Quel événement a marqué la vie de Hana Chidiac ?

....

....

5. Après ses études, Hana Chidiac a trouvé un travail…
❐ … à la Direction des Antiquités au Liban.
❐ … au Musée de l'Institut du Monde arabe.
❐ … au Musée du Quai Branly.

6. Quelle était sa fonction alors ?

....

....

....

7. Quelle est, aujourd'hui, sa fonction au Musée du Quai Branly ?

....

....

....

....

....

Le Musée du Quai Branly

Deuxième partie : Le parcours d'Hana Chidiac (*Questions 1 à 6 = 0,5 point chacune*)

Écoutez maintenant la 2ᵉ partie et répondez aux questions :

1. Comment s'appelle le manifeste lancé par Jacques Kercharge ?

....

2. Quelle était l'idée d'origine de Jacques Kercharge pour le Musée du Louvre ?

....

3. Quelles personnes ont signé ce manifeste ?

....

4. De quels musées proviennent principalement les objets exposés au Musée du Quai Branly ?

....

5. Quelle idée originale a eu l'architecte Jean Nouvel à propos des instruments de musique ?
❒ Les exposer à tour de rôle.
❒ Organiser des concerts.
❒ Montrer les réserves en permanence.

6. En 2006, lors de l'inauguration du musée, le Président Jacques Chirac a précisé que la France...
❒ ... se réjouissait d'avoir un musée de ce type.
❒ ... était fière d'avoir une si belle collection d'objets non européens.
❒ ... voulait saluer les peuples qui avaient trop souvent souffert par le passé.

Troisième partie : Le Musée du Quai Branly (*Questions 1 et 2 = 1 point chacune ; question 3 = 0,5 point*)

Écoutez maintenant la 3ᵉ partie et répondez aux questions :

1. En quoi le Musée du Quai Branly se différencie-t-il d'un musée traditionnel ?

....

2. Comment soutient-il certains chercheurs ?

....

3. Comment peut-on définir le Musée du Quai Branly ?
❒ C'est à la fois un musée et une université.
❒ C'est un lieu d'échanges entre les cultures des différents continents.
❒ C'est un musée où les collections sont en permanence renouvelées.

AUTOÉVALUATION

	Oui	Pas toujours	Pas encore
Je peux maintenant :			
● comprendre les points principaux d'une conversation en français lorsque la langue est quotidienne ;			
● comprendre les informations les plus importantes d'une émission de radio sur un sujet d'intérêt personnel.			
Pour cela, j'ai appris à :			
● lire attentivement les questions afin de préparer mon écoute ;			
● utiliser les temps de pause pour répondre aux questions ;			
● utiliser les indices donnés pour : – identifier le genre et la fonction du document, – dégager le thème principal, – identifier les personnes qui parlent et leur fonction, – identifier les idées principales et les informations importantes, – repérer les sentiments et opinions des personnes qui parlent.			
Je sais aussi :			
●			
●			
●			
●			
●			

Saisir la nature et la fonction d'un document

 Activité 1 – page 10

Extrait 1

Les professeurs de langue passent trop de temps à enseigner la grammaire. On peut apprendre la grammaire pendant 15 ans et la connaître parfaitement mais ce n'est pas pour autant qu'on saura parler une langue.

Extrait 2

Nancy Huston est une Canadienne qui est arrivée à Paris à l'âge de 20 ans. Elle est tombée amoureuse de Paris et s'est mise à écrire en français. C'est un écrivain très intéressant pour tous ceux qui vivent l'expérience de la double culture.

Extrait 3

Quand on suit son mari à l'étranger, c'est très important de trouver un travail. Sinon on risque de s'enfermer sur soi-même, de trouver le temps long et de prendre beaucoup de temps à s'adapter. C'est important aussi d'essayer de s'imprégner de la culture du pays où on s'est installé.

Extrait 4

Nous sommes à 10 000 mètres d'altitude. Nous survolons actuellement l'île de la Martinique. Nous allons bientôt survoler la Guadeloupe. Notre temps de vol est de 6 h 45 min. Nous arriverons à Paris à 13 h, heure locale. Notre vol devrait se dérouler sans turbulences.

Extrait 5

C'est beaucoup moins cher de prendre le menu. Regarde ! Avec une entrée et un plat, on arrive déjà à 25 € alors que si on prend le menu, on paiera la même chose mais on aura le fromage et le dessert en plus.

Extrait 6

J'ai vu une voiture qui arrivait à toute vitesse. Elle ne s'est pas arrêtée au feu rouge et elle a heurté un piéton qui est tombé. C'était une voiture verte dont la porte arrière était très abîmée. On a essayé de relever le numéro de la plaque d'immatriculation mais on n'a pas réussi.

 Activité 2 – page 10

Extrait 1

Les nouveaux albums en vedette ce mois ci ont été enregistrés lors de concerts. Puisqu'il est de plus en plus difficile de vendre de nouveaux disques, les artistes français choisissent de se produire plus souvent en spectacle et d'en tirer des albums. Les enregistrements coûtent moins cher et on y gagne en atmosphère.

Extrait 2

Un bébé attaché dans une poussette a miraculeusement survécu alors que celle-ci était tombée sur la voie ferrée juste avant le passage d'un train. La mère qui avait essayé de récupérer la poussette juste au moment où elle basculait sur les rails a été profondément ébranlée par cet accident qui heureusement n'a pas eu de conséquences graves.

Extrait 3

Selon un rapport de l'OCDE, les dépenses publiques en France représentent 52 % du produit intérieur brut alors que les pays de l'OCDE y consacrent en moyenne 42 % de leur budget.

Extrait 4

Les Français préfèrent prendre des vacances réparties tout au long de l'année plutôt que de concentrer toutes leurs vacances sur les mois d'été. La plupart des Français partent chez des amis ou dans leur famille pour de courts séjours plusieurs fois dans l'année. C'est plus convivial et c'est moins coûteux.

Extrait 5

Selon les statistiques de l'Agence Bio, la proportion des produits biologiques n'est que de 0,62 % dans la restauration collective. C'est dans les restaurants universitaires et dans les cantines scolaires que l'on a le plus de chance de manger des produits biologiques. Mais cela ne représente que 1,4 % des aliments. Mieux tout de même que dans les hôpitaux où la proportion n'est que de 0,23 %.

Extrait 6

Les élections municipales ont eu lieu en France ce dimanche. Plus de 75 % des Français sont allés voter. Le parti écologiste a remporté beaucoup plus de voix que ne le laissaient envisager les sondages. Pour les autres partis, les scores sont un peu moins bons que ce qui était prévu.

 Activité 3 – page 11

Message 1 :

Mon chéri, je n'aurai pas le temps de faire les courses ce soir. J'ai une réunion à 17 h 30 et j'ai peur que cela dure longtemps. Tu pourrais acheter un poulet rôti et des salades toutes prêtes à la charcuterie ? Et prendre une baguette à la boulangerie aussi s'il te plaît ? Merci. Je t'embrasse.

Message 2 :

Papa, j'ai un examen très important demain. Je dois être à 8 h à la maison des examens à Arcueil. Ce n'est pas facile en transports en commun. Tu voudrais bien m'accompagner en voiture s'il te plaît ? Rappelle-moi pour me dire si c'est possible. Merci mon petit Papa.

Message 3 :

Bonjour Maxime ! J'aimerais vous inviter tous dans un très bon restaurant pour mon anniversaire. Tu m'as parlé d'une excellente adresse l'autre jour, mais j'ai oublié le nom. Tu peux m'envoyer un email pour me donner le nom du restau et le numéro de téléphone ?

Message 4 :

Bonjour Maxime ! Patrick et moi nous aimerions vous inviter à la campagne ce week-end. Je sais que je vous appelle un peu tard pour vous prévenir mais si vous étiez libres, ça nous ferait tellement plaisir de vous voir. Appelle-moi sur mon portable s'il te plaît au 06 23 18 34 05.

Message 5 :

Salut Maxime ! J'ai réservé deux places pour la leçon de musique au Châtelet pour jeudi prochain. Malheureusement mon mari ne peut pas venir, il doit partir en mission. La leçon de musique est sur Beethoven. Envoie-moi un texto sur mon portable pour me dire si tu peux assister au spectacle.

 Activité 4 – page 11

Message 1 :

Bonjour ! Ici le Collège Paul Bert. Votre fille est malade. Il faudrait venir la chercher le plus rapidement possible. Elle vous attend à l'infirmerie.

Message 2 :

Bonjour ! Notre réunion de demain avec le secrétaire général est reportée à mercredi à 15 h. J'ai réservé une salle pour notre présentation Powerpoint. Est-ce que tu pourras juste vérifier que tout le matériel fonctionne bien dans la salle ? Tu sais qu'on a souvent des problèmes avec le son et je ne suis pas aussi doué que toi en technologie. Merci d'avance.

Message 3 :

Bonjour ! C'est Paul. J'ai préparé un compte rendu de la réunion que nous avons eue vendredi. Je ne suis pas sûr d'avoir tout noté. Est-ce que tu pourrais le relire s'il te plaît et m'envoyer tes commentaires ? À demain.

Message 4 :

Bonjour ! J'ai des problèmes de connexion Internet. Je ne comprends pas ce qui se passe. Est-ce que tu pourrais passer à mon bureau le plus rapidement possible pour m'aider à résoudre ce problème ?

Message 5 :

Allo ! C'est Christophe. Je n'arrive jamais à te joindre ! Je tombe toujours sur ton répondeur. Je voulais te proposer une réunion pour lundi après-midi. Est-ce que tu seras libre ? Tu peux m'appeler ? Parce que moi, à chaque fois que je t'appelle, il n'y a personne.

 Activité 5 – page 12

Phrase 1

Je trouve que c'était cher et pas très copieux. Je ne reviendrai plus dans ce restaurant.

Phrase 2

Il était drôle ton ami ! Je n'ai jamais rencontré quelqu'un d'aussi amusant !

Phrase 3

Ici la limite de vitesse est de 60 à l'heure. Il vaut mieux que tu ralentisses !

Phrase 4

Il fait un travail formidable ! On a vraiment trouvé quelqu'un de bien !

Phrase 5

Qu'est-ce qu'elle parle fort cette dame ! Elle doit penser qu'elle est seule dans le train.

Phrase 6

Si tu veux obtenir un tarif réduit, il faut t'y prendre à l'avance.

Activité 6 – page 12

Pierre

Ça fait 5 ans que je travaille dans cette entreprise. Je m'entends bien avec mes collègues. Le travail est intéressant mais la charge de travail augmente chaque année. Je n'arrive plus à me déconnecter le week-end. J'emporte toujours mon ordinateur où que j'aille. Enfin c'est mieux que de ne pas avoir de travail du tout.

Corinne

Je travaille à l'Office du tourisme de Cabourg. Je m'occupe des activités pour les enfants pendant les vacances scolaires. J'organise des ateliers sur des thèmes artistiques. Ça m'amuse de stimuler leur créativité. C'est un métier épanouissant.

Marie-Jo

J'aimerais davantage ce que je fais si je pouvais travailler de chez moi. J'ai un tout petit bureau. Je dois faire plus de 2 heures de transport par jour. Et depuis la rentrée, il y a une nouvelle collègue avec qui je ne m'entends pas très bien.

Nicolas

Je suis bibliothécaire. J'ai toujours aimé lire et quand j'ai du temps libre, j'en profite. Il y a des avantages dans ce travail mais il y a aussi des inconvénients : par exemple, on passe beaucoup de temps à ranger, classer... Mais heureusement il y a le contact avec les gens et avec les élèves lorsqu'on visite les classes.

Christiane

Je suis responsable des ressources humaines dans une banque en Australie. Je travaille énormément. Je fais des semaines de 60 heures. Je n'ai que 5 semaines de vacances mais je gagne aussi beaucoup plus que ce que je pourrais gagner en France. C'est un travail intéressant avec d'importantes responsabilités et je ne changerais pour rien au monde.

Antoine

Je suis professeur de français. C'est vrai que ce n'est pas un métier facile de nos jours ! Il y a des jours où je regrette d'avoir fait ce métier et d'autres où je me dis que c'est le plus beau métier du monde. J'essaie de donner à mes élèves le goût des études, de les aider à grandir. Et quand j'arrive à leur transmettre le goût de la lecture ou le plaisir d'une œuvre, j'éprouve une grande satisfaction.

Robert

Je suis formateur de journalistes dans les pays en développement. Je rencontre des personnes formidables qui ont parfois de grandes difficultés à exercer leur métier. C'est un métier très riche sur le plan humain.

 Activité 7 – page 12

1re personne

Il n'est pas encore rentré ! Il avait dit qu'il serait là à minuit pourtant ! Je n'arrive pas à dormir.

2e personne

Tu crois que je peux venir à la fête avec toi ? Je n'ai pas été invitée.

3e personne

Quand est-ce qu'on arrive ? C'est long ! Ça n'en finit pas ce voyage !

4e personne

J'ai eu seulement 12 à l'examen. Je m'attendais à mieux que cela tout de même !

5e personne

Ah ça alors ! C'est Jacques ! Mais qu'est-ce que tu fais là ? Je croyais que tu étais à Londres !

6e personne

Je ne veux plus que tu empruntes mes vêtements. Tu as encore fait une tache sur mon pantalon ! Et elle ne part pas. Cette fois tu vas m'en racheter un.

7e personne

Oh ! Bien sûr que j'ai envie d'aller au Québec ! Je suis sûr que ce sera un voyage magnifique !

 Extraire les informations essentielles

 Activité 8 – page 13

Joëlle : Tiens, salut Patrick ! Tu viens souvent dans ce quartier ?

Patrick : Joëlle ! Quel hasard ! Comment vas-tu ?

Joëlle : Oh je suis fatiguée en ce moment. Cette année, je suis dans une zone d'éducation prioritaire et j'ai beaucoup de mal avec mes élèves.

Patrick : Ah bon qu'est-ce qui ne va pas ?

Joëlle : J'ai trois classes de seconde avec de gros effectifs : 35 élèves par classe ! Et dans chacune il y en a plusieurs qui ont pas mal de difficultés. Pour la première fois j'ai du mal à faire passer mes cours de français. Je ne sais plus comment les motiver.

Patrick : Tu as entendu parler de cette prof de français qui permet à ses élèves d'utiliser leur portable pour faire des films ?

Joëlle : Non, raconte.

Patrick : Eh bien, elle leur demande d'écrire des scénarios et puis ils mettent en scène ce qu'ils ont écrit et ils se filment. Ça marche très bien ! Ils sont ainsi auteurs, acteurs et réalisateurs. Ensuite les réalisations des élèves sont présentées sur un site Internet et dans le cadre du Festival Pocket Films du Forum des images à Paris.

Joëlle : Quelle excellente idée ! Et ça s'appelle « Pocket Film » ? Le film en poche, je suppose ?

Patrick : Oui, comme les élèves ont toujours leur téléphone sur eux, ils ont donc toujours une caméra avec eux. Ils n'ont pas peur de filmer ou d'être filmés. C'est naturel pour eux. Et du coup, ils ont une manière moins conventionnelle de faire du cinéma.

Joëlle : Tu m'as donné une très bonne idée ! Je vais essayer.

Patrick : Eh bien bonne chance ! Tu me raconteras comment ça s'est passé.

Joëlle : Oui, c'est ça. Au revoir Patrick.

Patrick : Au revoir Joëlle.

Activité 9 – page 13

Si vous habitez Paris et que vous êtes une jeune femme, coquette et qui aimez souvent changer de tenue, vous pourrez trouver un magasin qui loue des vêtements à la mode. Ce magasin s'appelle « Paperdolls », les poupées de papier. Qui n'a pas joué étant enfant à habiller des poupées de papier avec des vêtements différents qu'on accrochait sur le modèle ? Le nom résume un peu le concept : offrir la possibilité de changer souvent de vêtements sans se ruiner.

Ce magasin a été ouvert par une jeune franco-britannique, Candy Miller, qui souhaitait permettre aux femmes de porter des robes de créateurs le temps d'un week-end. Candy Miller est issue d'une famille cosmopolite qui a vécu dans de nombreux pays étrangers. Elle s'est installée en France en 1995 et a fait des études de marketing puis a travaillé pendant 10 ans dans le service de communication d'une multinationale. Mais elle ne s'y sentait pas vraiment à l'aise. Fille d'entrepreneurs, elle voulait elle aussi créer sa propre entreprise. Elle n'est pas encore propriétaire de sa boutique mais espère le devenir. Et si ça marche, elle espère ouvrir d'autres magasins !

Activité 10 – page 14

Bien dormir ! Une condition essentielle pour être en forme le lendemain. Et pourtant un Français sur deux se plaint de mal dormir et quatre millions d'adultes ont de graves problèmes de sommeil, soit 9 % de la population.

Selon un sondage effectué pour l'Institut National du Sommeil et de la Vigilance, la durée moyenne du sommeil est de 6 h 58 en semaine et de 7 h 50 le week-end. En 50 ans, le temps de sommeil moyen a diminué de 1 h 30 ! Principales raisons : les écrans ! La télévision mais surtout Internet. Et puis aussi le stress engendré par le travail et des journées de plus en plus longues.

Dans son livre intitulé *Le sommeil dans tous ses états*, publié chez Plon, le professeur Damien Léger écrit, je cite : « Le manque de sommeil chronique n'est pas sans conséquence sur la santé : fatigue, prise de poids, dépression, risques d'accident. La réduction du temps de sommeil aggrave le risque d'obésité et de diabète. »

Nous savons tous également qu'après une mauvaise nuit de sommeil, nous manquons de concentration et nous devenons plus irritables.

Alors comment remédier aux problèmes de sommeil ? Première règle, il faut essayer de se coucher à des heures régulières, même le week-end. Ensuite, ne pas prendre d'excitants comme le thé, le café, les boissons sucrées, mais prendre un dîner léger plusieurs heures avant de se coucher. Et enfin limiter le temps passé devant les écrans avant de dormir. Mieux vaut prendre un bon livre qu'on lira au lit !

Activité 11 – page 14

Les devoirs des enfants à la maison provoquent parfois des conflits dans les familles. Le premier parent qui rentre à la maison (le plus souvent la mère), doit s'occuper du dîner tout en aidant les enfants à faire leurs devoirs. Lorsqu'on rentre fatigué de sa journée de travail et que l'enfant ne se montre pas coopératif, ce n'est pas toujours facile.

Certains parents aimeraient que tout l'apprentissage soit fait à l'école et qu'il n'y ait pas de devoirs à la maison. Pourtant ceux-ci sont nécessaires. Ils permettent aux enfants de réviser ce qui a été fait en classe et aux professeurs de vérifier que leurs élèves ont bien tout compris.

Lorsque l'enfant met beaucoup de mauvaise volonté à faire ses devoirs, il faut penser à l'aider autrement.

Tous les établissements offrent au niveau de l'école primaire et du collège une étude après les cours. Mais souvent il ne s'agit que d'une surveillance dans une classe, sans aide individuelle. Certains établissements scolaires proposent des aides personnalisées aux devoirs du soir. Ce sont généralement des parents bénévoles qui accompagnent les enfants en difficulté. Souvent l'intervention d'une personne extérieure à la famille va permettre à l'enfant de se libérer de la peur de faire des fautes et de la peur de décevoir ses parents.

Mais attention, aider l'enfant ne signifie pas faire les devoirs à sa place. Si les parents, ou la personne extérieure, aident trop l'enfant, ou ne lui laisse pas le temps de réfléchir pour aller plus vite, l'enfant ne saura pas ce qu'il est capable de faire.

L'important est de lui donner confiance, de lui faire comprendre qu'avec de la concentration, il pourra aller plus vite et qu'il lui restera plus de temps pour s'amuser ensuite.

③ Extraire des informations précises et détaillées

 Activité 12 – page 15

Intervieweur : Sylvie Chemincreux, vous êtes correspondante du journal *Le Monde* à Sydney. Vous écrivez des articles sur l'Australie, la Nouvelle-Zélande et le Pacifique Sud. C'est un énorme territoire !

Sylvie Chemincreux : Oui, c'est vrai. Mais vous savez les journaux n'ont pas les moyens d'avoir des correspondants dans tous les pays. *Le Monde* est l'un des journaux qui en a le plus. Seules les agences de presse ont des correspondants dans tous les pays.

Intervieweur : Comment organisez-vous votre journée de travail ?

Sylvie Chemincreux : Je regarde d'abord la presse locale. J'écoute les informations à la radio et bien sûr le journal télévisé du matin. J'essaie de voir quels événements pourraient intéresser la rédaction du journal. Il est en fait assez rare d'écrire des articles sur l'actualité en Australie ou en Nouvelle-Zélande sauf lorsqu'il s'agit des élections. Les articles que je fais sont plutôt de type magazine, soit sur des événements qu'on peut prévoir à l'avance, comme la course de voile entre Sydney et Hobart en Tasmanie, qui commence tous les ans le 26 décembre, soit sur des thèmes généraux comme par exemple l'importance de la laine, ou bien sur des lieux, comme la plage mythique de Bondi à Sydney où s'entraînent les meilleurs surfeurs, ou bien encore la ville de Broome en Australie Occidentale où on produit les plus grosses perles au monde.

Intervieweur : Comment êtes-vous généralement accueillie en tant que représentante d'un journal français ?

Sylvie Chemincreux : Très bien ! C'est assez facile d'obtenir des interviews même avec les politiciens. J'ai toujours été très bien reçue. Les Australiens ou les Néo-Zélandais sont plutôt faciles d'accès. Il m'est même arrivé qu'un ministre que je n'avais pas réussi à joindre dans la journée me rappelle le soir chez moi ! Je ne crois pas que cela arriverait dans le sens inverse. Je ne pense pas qu'un ministre français rappellerait un journaliste australien chez lui pour répondre à ses questions. J'ai même eu la chance de recevoir l'ambassadeur d'Australie en France chez moi. Il était content des articles sur l'Australie et il souhaitait me rencontrer. En fait j'aime beaucoup ce pays et j'ai essayé d'en montrer les bons côtés tout en gardant un regard critique.

Intervieweur : Merci beaucoup Sylvie Chemincreux pour cet entretien.

 Activité 13 – page 15

Les Français aiment toujours faire la cuisine. Selon un sondage récent, les Français passent une heure par jour en moyenne à cuisiner. Les hommes sont aussi de plus en plus nombreux à préparer les repas. Et ce n'est pas seulement par souci d'économie. Même les parents pressés préfèrent éviter les plats surgelés, soit parce qu'ils ne sont pas aussi bons que ce qu'on fabrique à la maison, soit parce qu'ils sont généralement trop salés ou trop sucrés. Le plaisir de préparer quelque chose de ses mains est l'une des principales raisons pour lesquelles hommes et femmes aiment consacrer du temps à la cuisine.

Les livres de recette ont de plus en plus de succès, surtout ceux dont les recettes sont faciles, rapides et pas chères. Les petits livres de poche qui ont des thèmes précis (le pain, les soupes, les salades, les desserts...), qu'on peut trouver aux caisses des magasins, se vendent très bien. Les sites Internet qui proposent des recettes comme marmiton.org sont de plus en plus visités. Et les émissions culinaires à la télévision remportent également beaucoup de succès.

Les Français sont aussi ceux qui parmi les Européens passent de plus en plus de temps à table. Il ne faut pas oublier que beaucoup de ceux qui habitent en province ont le temps de rentrer chez eux à l'heure du déjeuner. Même les adolescents aiment se retrouver autour d'un repas. Beaucoup plus informel certes ! Il peut s'agir d'un pique-nique ou d'un goûter organisé dans un parc où chacun apportera quelque chose.

Les soirées à thème ont du succès aussi. On décide par exemple que chacun apporte un plat typique de sa région et on partage ! Ou bien au retour des vacances, chacun apporte une spécialité d'un pays qu'il a visité. C'est moins de travail pour ceux qui reçoivent et c'est un concept amusant.

 ### Exercice 1 – page 16

Robert : Allo !

Pascale : Bonjour Robert, c'est Pascale.

Robert : Ah Pascale, comme ça fait plaisir de t'entendre. Tu viens bientôt nous voir à Paris ?

Pascale : Oui, ça y est. J'ai mon billet. J'arrive le 10 mai au matin et je reste une semaine.

Robert : Ah mais c'est parfait ! Tu seras là pour la Nuit des Musées !

Pascale : C'est quoi la Nuit des Musées ?

Robert : Ça se passe une fois par an : les musées sont ouverts au public jusqu'à une heure du matin. C'est gratuit et il y a des animations spéciales.

Pascale : C'est formidable ! Ça existe depuis quand ?

Robert : C'est la France qui a lancé l'idée en 1999 mais depuis plusieurs pays ont suivi.

Pascale : Et toi, qu'est-ce que tu as vu l'année dernière ?

Robert : Je suis allé au musée de Cluny, le musée du Moyen Âge. Il y avait un spectacle très bien fait avec des acteurs en costume d'époque. Puis j'ai visité ce musée que je n'avais jamais vu et cela en valait vraiment la peine. La collection est magnifique !

Pascale : Bon, on ira voir autre chose puisque tu l'as déjà vu. Tu as des suggestions ?

Robert : Je pense qu'il faut aller dans les petits musées. Tout le monde se précipite vers les grands : Le Louvre, le Grand Palais, le Centre Pompidou...

Pascale : J'aimerais bien aller au Musée Rodin. J'adore ce sculpteur. En plus voir les statues éclairées dans le jardin la nuit, cela doit être vraiment beau !

Robert : Je pense qu'il y aura beaucoup de monde aussi mais on peut essayer. Tu arrives à la gare à quelle heure ? Je viendrai te chercher.

Pascale : À 10 heures.

Robert : OK, c'est parfait je te retrouve au bout du quai.

Pascale : Oh c'est vraiment gentil ! Je te fais de grosses bises. Au revoir !

 ### Exercice 2 – page 17

Max : Salut Caroline ! J'ai cru que tu allais encore être en retard.

Caroline : Tu exagères ! Ce n'est quand même pas systématique.

Max : Alors quoi de neuf depuis qu'on s'est vu ?

Caroline : Je me suis engagée comme bénévole dans les Restos du Cœur.

Max : C'est quoi les Restos du Cœur ?

Caroline : C'est une association qui a été créée en 1985 par un humoriste qui s'appelait Coluche. Malheureusement il est mort quelques mois plus tard, mais ce qu'il a mis en place est toujours là.

Max : C'est-à-dire ?

Caroline : Les Restos du Cœur distribuent de la nourriture à ceux qui n'en ont pas, surtout en hiver mais en été aussi. Mais il n'y a pas que cela. On aide aussi les jeunes mamans. On leur donne du lait, des habits, des couches, etc. et aussi des conseils. En plus, on aide les élèves qui sont en difficulté et on permet à 2 500 familles de partir en vacances.

Max : C'est vraiment formidable ! Et toi tu fais quoi ?

Caroline : Ben moi, je travaille dans un jardin potager. Notre jardin permet de cultiver assez de légumes pour nourrir 100 personnes pendant 100 jours. Toute la production est distribuée dans les restos.

Max : Tu crois qu'il y a d'autres associations de ce type dans le monde ?

Caroline : Je ne crois pas. Nous avons reçu des associations africaines qui voulaient voir comment nous faisions et nous sommes prêts à donner des conseils, mais nous ne donnons pas de leçons aux autres. Chacun a sa manière de faire face aux problèmes.

Max : Eh bravo Caroline.

Caroline : Dis donc, tu pourrais venir travailler dans un jardin avec moi ?

Max : Pourquoi pas ? On en reparlera.

 Exercice 3 – page 17

Jean : Bonjour Émilie. Je suis vraiment content de te revoir. Ça fait longtemps que tu n'es pas venue à Paris.

Émilie : Oui, c'est vrai Jean. Il me semble que cela fait un siècle. Tu sais que je n'avais pas encore vu les vélos en libre service !

Jean : Les Vélibs tu veux dire ! Il y a une station juste en bas de chez moi si ça t'intéresse.

Émilie : Tu t'en sers ?

Jean : Non, moi pas tellement. Je ne me sens pas à l'aise à vélo dans Paris. Ce n'est pas vraiment une ville faite pour le vélo. Mais ma femme et ma fille, oui. Elles adorent.

Émilie : Ça a beaucoup de succès ?

Jean : Ah oui, pas mal ! Quelquefois il faut faire plusieurs stations avant de pouvoir trouver un vélo. Et pourtant il y a des stations presque à chaque coin de rue.

Émilie : Et comment on fait pour en emprunter un ?

Jean : Si tu vis ici, c'est mieux de prendre un abonnement à l'année. Mais on peut aussi prendre un abonnement à la journée ou à la semaine. Les 30 premières minutes de chaque trajet sont toujours gratuites. Il y a des personnes qui en profitent : ils prennent un vélo pour une demi-heure, ils le remettent en place, puis ils prennent un autre vélo. Comme ça, ils ne paient que l'abonnement. En fait le Vélib', c'est pratique si ton travail n'est pas trop loin et que tu peux faire le trajet en moins d'une demi-heure. Mais le problème, c'est qu'on ne trouve pas toujours à se garer. Parce que tout le monde va vers les mêmes endroits le matin. Par exemple, j'ai voulu aller à la Gare Montparnasse à Vélib', mais il n'y avait plus de place pour remettre mon vélo dans les stations autour de la gare. J'ai perdu pas mal de temps avant de pouvoir me garer.

Émilie : Quand même, c'est pas mal comme invention. Moi, je vais m'en servir pour visiter Paris.

Jean : Oui, mais alors dans ce cas, je te prêterai un casque. Il y a trop de gens qui sortent sans casque.

Émilie : D'accord ! On va faire un tour maintenant ?

Jean : D'accord ! On y va.

 Exercice 4 – page 18

Jeune homme : Papa, maman! J'ai réussi mon bac !

La mère et le père : Bravo ! Félicitations ! Nous sommes vraiment très heureux pour toi !

La mère : Alors, tu vas t'inscrire à l'université maintenant ?

Jeune homme : Non, j'ai changé d'avis. Je veux passer un an à l'étranger et faire mes études ensuite.

Le père : Comment ça ? Mais ce n'est pas possible. Tu ne vas pas perdre une année à ne rien faire !

Jeune homme : Mais je n'ai pas l'intention de ne rien faire ! Je vais travailler et je vais me perfectionner en anglais.

La mère : Tu sais, on n'a pas les moyens de te payer un an de vacances.

Jeune homme : Je sais. Mais j'ai décidé d'aller en Australie où je pourrai bénéficier d'un visa vacances-travail. On travaille 6 mois et on peut se balader pendant 6 mois. Pas forcément en continu.

La mère : En Australie !! Mais pourquoi si loin ?

Jeune homme : Il n'y a pas beaucoup de pays qui donnent ce type de visa. C'est idéal pour les jeunes.

Le père : Moi, je ne suis pas d'accord pour que tu partes. Une fois que tu seras là-bas, tu vas peut-être tomber amoureux et tu ne reviendras plus. Ou bien tu vas prolonger tes vacances et après ce sera très difficile de reprendre tes études. Ce n'est même pas sûr que tu puisses encore t'inscrire à l'université.

Jeune homme : Mais si Papa ! Tu sais, dans les pays anglophones, c'est normal de prendre une année entre le bac et les études supérieures. En général, on part à l'étranger pendant un an. Cela permet de mûrir. Ici, la majorité des jeunes commencent leurs études supérieures directement après le bac, mais beaucoup changent d'orientation après la première année. Peut-être que s'ils avaient eu le temps de bien réfléchir, ils n'abandonneraient pas leurs études ou ne changeraient pas d'orientation.

La mère : C'est vrai, tu as raison. Je connais d'autres jeunes qui ont choisi de partir un an à l'étranger et cela a généralement plu aux employeurs parce que ces personnes-là sont capables de s'adapter.

Jeune homme : Alors, tu es d'accord Maman ?

La mère : Oui, je suis d'accord même si cela me fait de la peine de te voir partir aussi loin.

Jeune homme : Et toi Papa ?

Le père : Hum, si ta mère est d'accord, alors je suis d'accord.

Jeune homme : Oh merci ! Je savais que vous finiriez par me comprendre.

Exercice 5 – page 19

Le journaliste : Chers auditeurs, bonjour. Aujourd'hui, nous recevons dans nos studios Pauline Paris, jeune chanteuse parisienne qui vient de sortir son deuxième album intitulé *Le Grand Jeu*. Malgré son jeune âge, Pauline Paris se produit depuis de nombreuses années dans les cafés et les cabarets de la capitale, et écrit elle-même ses chansons. Pauline Paris, bonjour !

Pauline Paris : Bonjour Jacques !

Le journaliste : Dis-moi Pauline, qu'est-ce qui t'a donné envie de devenir chanteuse et d'écrire des chansons ?

Pauline Paris : Alors il se trouve que j'ai pas vraiment choisi d'être chanteuse... euh... c'est arrivé par la force des choses. Donc j'écrivais des chansons, et n'étant pas du milieu musical, je ne connaissais absolument personne pour les chanter. Donc il a fallu que je me mette à chanter pour que ces chansons soient entendues. J'ai commencé à prendre des cours de chant et de guitare, et à faire des concerts dans les bars parisiens. Et puis j'ai fait plusieurs enregistrements en studio. Donc pour moi, être interprète, ça reste un travail quotidien, qui demande une certaine discipline que j'ai encore du mal à tenir parfois, mais par contre, composer et écrire, c'est vraiment un plaisir, et un besoin même.

Le journaliste : J'ai lu dans ta biographie que lorsque tu étais une jeune adolescente, tu es partie étudier près de Brighton. Est-ce que ce séjour en Angleterre a influencé ta musique, ta personnalité ?

Pauline Paris : Alors mon année en Angleterre, ça a vraiment été un tournant décisif dans ma vie, c'est à partir de cette expérience en fait, que j'ai quitté le monde de l'enfance pour l'autre monde... Je sais pas très bien lequel, mais le monde dans lequel on vit maintenant. Et euh, j'ai vécu cette année en Angleterre un peu comme une rupture, c'était très douloureux. Et puis quelques années plus tard, j'ai réussi à retirer le bon de cette expérience, et maintenant je me sens beaucoup plus forte, avec cette nouvelle langue qui est l'anglais.

Le journaliste : Alors aujourd'hui tu écris donc en français, et quels sont les chanteurs français qui t'ont influencée ?

Pauline Paris : Il y a Gainsbourg, Paris Combo, Edith Piaf, Boris Vian, Les Rita Mitsouko, Bourvil, Barbara. Après, c'est toujours une question assez difficile, parce que pour moi l'inspiration reste instinctive. Il faut rentrer en soi-même et puis s'écouter entièrement, et laisser son cœur parler. Je ne cherche jamais à ressembler à un autre artiste. Par contre, il m'arrive de faire des clins d'œil, et par exemple pour la chanson *Un Pour Deux*, il y a un clin d'œil que je n'ai jamais dit à personne encore, c'est un grand secret. Mais je vais vous le dire : c'est que, quand je chante *Un Pour Deux*, c'est un clin d'œil à *L'Été indien* de Joe Dassin « on ira »... euh... en fait j'avais commencé à écrire cette chanson en gardant exactement la même mélodie que Joe Dassin, mais c'était complètement inconscient, je ne savais pas que j'avais repris *L'Été indien*. Et donc à 18 ans, je voulais la faire écouter à ma mère qui me dit : « ça me rappelle quelque chose, je ne sais pas quoi mais ça me rappelle quelque chose ». Et donc, au bout de plusieurs jours j'ai trouvé d'où venait ce plagiat et puis j'ai modifié la mélodie.

Le journaliste : Très bien. Eh bien maintenant, nous allons écouter *Un Pour Deux*.

 Exercice 6 – page 20

Un pour deux

Dangereux
De quitter son nid à la recherche
D'un homme à aimer
Merveilleux
De répondre à une invitation en disant nous
Paresseux
De vivre dans un duplex à Montmartre
Dont chaque mètre appartient aux deux

Un pour deux
Nous voudrions un café pour deux
Nous voudrions une salade pour deux
Nous voudrions une glace pour deux
Oh un pour deux c'est tellement mieux
Que dix pour un.

Malheureux
Est-on quand le rêve s'écoule
Dans un sablier brisé
Et peureux
On s'enferme dans son studio, débranche le téléphone
et pleure dans un lit une place
Monstrueux
L'effort de dire que de toute manière tout va bien.

Un pour deux
Nous voudrions un café pour deux
Nous voudrions une salade pour deux
Nous voudrions une glace pour deux
Oh un pour deux c'est tellement mieux que
Dix pour un.

Dix pour moi
J'aimerais bien dix bières pour moi
J'aimerais bien dix clopes pour moi
J'aimerais bien dix cafés pour moi

Oh dix pour un
Oh dix pour un
Oh dix pour un c'est toujours mieux

Que rien.

 Exercice 7 – page 20

Faiza Hajji Wozniak : C'était un concours de photos positives sur l'action de la population en Afrique en faveur de la protection de l'environnement. Donc j'ai participé à ce concours avec des photos de mon projet au Maroc, un projet de recyclage de sacs plastique et d'activités génératrices de revenus en faveur des femmes marocaines.

Intervieweur : Alors quelle était la particularité des photos que vous avez prises ?

Faiza Hajji Wozniak : En fait, c'étaient des photos que j'ai prises à différentes étapes du projet. Ce n'étaient pas des photos prises spécialement pour le concours. J'ai concouru dans la catégorie « essais photographiques », donc c'est des photos qui représentent les différentes étapes du processus de recyclage des sacs plastique, c'est-à-dire depuis les sacs plastique dans la nature, leur collecte, le nettoyage, le séchage jusqu'à la transformation en accessoires de mode.

Intervieweur : Quand est-ce que vous est venue l'idée de procéder à la confection de sacs qui soient en plastique ?

Faiza Hajji Wozniak : L'idée m'est venue il y a 4 ans. En fait je viens de cette ville, je suis originaire de la ville de Berkane et les sacs plastique c'est une réalité de tous les jours non seulement dans ma ville mais au Maroc et plus généralement dans les pays en voie de développement, donc l'idée était de réutiliser cette matière première qui est gratuite, qui est dans la nature et qui pollue la nature et en faire quelque chose de vendable qui permettrait de générer un revenu pour ces femmes.

Intervieweur : Alors d'être primée par le Programme des Nations Unies pour le Développement, quel est votre sentiment justement ?

Faiza Hajji Wozniak : Je suis très honorée et très contente parce que cela représente une reconnaissance du travail qui a été fait jusque-là et de notre action et un encouragement surtout pour continuer à progresser et persister.

Intervieweur : Alors justement, vous l'avez dit, votre projet fait partie d'une de vos inventions si on peut dire cela. « Ifassen », c'est une association, c'est votre société ? Est-ce que vous pouvez nous en parler un peu plus ?

Faiza Hajji Wozniak : « Ifassen » est une marque de mode, une marque déposée en France...

Intervieweur : Qu'est-ce que ça veut dire « Ifassen » ?

Faiza Hajji Wozniak : « Ifassen » veut dire les mains en berbère. C'est une langue parlée au Maroc et par ces femmes-là. Donc comme tout le processus est fait à la main...

Intervieweur : Alors aujourd'hui, est-ce que votre produit est connu généralement au Maroc et comment est-ce que la population réagit face à ce que vous leur proposez ?

Faiza Hajji Wozniak : Le produit n'est pas vendu au Maroc actuellement. Il est exporté. En France cela fait un an tout juste que l'activité commerciale à proprement dit existe. Donc il est exporté en France, au Japon, en Italie, et en Espagne et j'espère qu'un jour, oui effectivement, on arrivera à atteindre le marché local.

 Exercice 8 – page 22

Journaliste : Chers auditeurs, bonjour. Nous sommes très heureux d'accueillir aujourd'hui, Yamou, peintre et sculpteur marocain. Bonjour Yamou !

Yamou : Bonjour !

Journaliste : Yamou, vous avez exposé à Paris, Casablanca, Marrakech, Rabat, Londres, Los Angeles, Sao Paulo, Moscou, Cracovie, Bucarest et bien d'autres villes encore. Alors Yamou, qu'est-ce qui vous a mené à la peinture ?

Yamou : Qu'est-ce qui m'a amené à la peinture ? Au fait, c'est quelque chose que j'avais avec moi depuis le début, donc depuis que je me souviens de mon histoire personnelle, j'ai toujours peint ou du moins j'ai toujours dessiné et les choses se sont enchaînées progressivement mais j'ai jamais pensé que la peinture allait être un peu la chose essentielle dans ma vie active. Je m'intéressais à la peinture, je faisais beaucoup de peinture mais je pensais que ma vie active allait être autre, donc j'ai fait des études de biologie dans un premier temps, puis après de sociologie, puis arrivé à l'âge de 30 ans je pense, la peinture s'est imposée par une pratique active et je me suis rendu compte que c'est la chose qui m'intéressait le plus.

Journaliste : Sur www.yamou.com où on peut voir l'évolution de vos peintures, vous citez le critique d'art marocain Mohamed Rachdi et vous dites « De mémoire de sable, l'homme du désert demeure toujours hanté par un profond désir d'habiter quelque jardin. » Dans quelle mesure votre peinture est-elle influencée par vos origines ?

Yamou : Je pense que ma peinture est influencée par mes origines dans le simple fait que je peins une réalité immédiate. Quand j'ai commencé à peindre de façon professionnelle, j'avais une forme de nostalgie de mon vécu marocain, donc j'ai commencé à peindre professionnellement à l'âge de 20 ans... À cette période-là, je venais juste d'arriver en France, disons que je peignais avec un souvenir. Et dans ce souvenir, il y avait cette histoire de mémoire, de mur, de sable, et une fois en France et après une trentaine d'années de vécu, il y a une autre réalité qui s'est imposée à moi et quand je peins je pense que je fais d'une façon indirecte un autoportrait, et cet autoportrait il est un peu ce que je suis : un mélange de ce que j'ai vécu au Maroc pendant une vingtaine d'années et ce que j'ai vécu ici depuis une trentaine d'années. Donc je me considère comme un mélange de ces deux cultures, deux univers, deux ambiances et ce que je peins c'est ce résultat-là. Je raconte un peu l'image de cet arbre qui est un peu enraciné dans une terre et qui a été nourri par une culture donnée, qui était pour ce qui me concerne un peu le Maroc et une culture arabo-musulmane et puis après pendant une trentaine d'années, ce que j'ai vécu en Europe et en France en particulier, et puis mes voyages à partir de la France vers d'autres contrées du monde.

Journaliste : Yamou, merci de nous avoir accordé cet entretien. Pour ceux qui voudraient découvrir les peintures de Yamou et connaître les lieux des prochaines expositions, nous vous rappelons le site www.yamou.com.

 Exercice 9 – page 23

Journaliste : Emmanuel Lainé, bonjour ! Vous êtes Vice-Président de l'Alliance française de New York que les habitués appellent le Fiaf. Pouvez-vous nous expliquer en quoi consiste votre travail ?

Emmanuel Lainé : Alors dans mon travail, il y a 3 pôles d'activité principaux. Je suis chargé de gérer une équipe de 62 profs et de 8 administratifs. Pour les professeurs, j'effectue un suivi pédagogique personnalisé. Je vais les observer en cours. Je vérifie que la méthodologie est bien respectée, que les évaluations par exemple sont bien mises en place. Je travaille avec eux ensuite lors d'un entretien sur leurs techniques de classe pour évoquer les problèmes qui se posent et essayer d'y apporter des solutions.

Alors ensuite je suis aussi le manager du centre de langue. Donc j'ai un budget important de 4 millions et demi de dollars que je gère avec le comptable de l'Alliance française. Le centre de langue rapporte beaucoup d'argent et il est très important qu'on continue à en gagner pour rembourser la dette qui a servi à moderniser l'immeuble et renvoyer une image moderne de l'enseignement de la langue, de la culture et de la France en général.

Le 3ᵉ pôle d'activité, c'est la dynamisation de toute l'offre de cours, c'est-à-dire renouveler les programmes, créer de nouveaux programmes, attirer de nouveaux étudiants avec des solutions qui correspondent à l'évolution de leurs besoins en développant des cours à distance, en autonomie ou en semi autonomie avec un tuteur par exemple. Il y a un gros effort de marketing pour promouvoir nos cours, pour attirer plus d'étudiants puisque notre mission c'est de promouvoir la langue et la culture française.

Alors, nous travaillons avec la programmation culturelle pour offrir aux étudiants la possibilité de rencontrer les artistes qui passent au Fiaf. Nous créons des cours spécifiques sur les œuvres littéraires des écrivains qui sont invités au Fiaf. Les étudiants du club théâtre du centre de langue peuvent aussi rencontrer certains comédiens qui passent ici à l'Alliance.

Le Fiaf a une vocation à être une destination culturelle. Donc nous avons 2 très grands festivals qui sont très connus à New York, qui sont même reconnus puisque l'un des festivals a été élu l'un des 10 meilleurs nouveaux festivals à New York par le *New York Times*. Et on a vocation à devenir une destination sociale. On travaille beaucoup pour que les gens se retrouvent ensemble et les fêtes qu'on organise ici pour les membres et pour les étudiants ont beaucoup de succès. Les gens vont au cinéma et après on propose des rencontres autour du film par exemple.

Journaliste : Emmanuel Lainé merci pour cet entretien très intéressant.

 Exercice 10 – page 24

Journaliste : Chers auditeurs, bonjour. Nous accueillons aujourd'hui dans nos studios Robert Holloway, directeur de la Fondation AFP. Celle-ci a été créée en juillet 2007 par l'Agence France-Presse, une des trois grandes agences de presse internationale. La Fondation est une organisation à but non-lucratif dont l'objectif est de former les journalistes dans les pays en développement. Robert Holloway, il existe d'autres fondations du même type ou bien des écoles de journalisme. Pourquoi fallait-il créer une autre fondation ?

Robert Holloway : Eh bien, avant le lancement de cette fondation, les grands acteurs dans ce domaine étaient essentiellement des organisations britanniques ou américaines, notamment la Fondation Reuter créée il y a un quart de siècle et le BBC World Service Trust. Certes, elles proposent des formations dans d'autres langues que l'anglais, mais à l'Agence France-Presse nous pensions qu'il y avait une place dans ce marché pour une fondation basée en France qui transmettrait les valeurs de notre maison-mère. Quant aux écoles de journalisme, elles sont très actives dans ce domaine, mais la spécificité de la Fondation AFP est de faire appel uniquement aux journalistes professionnels comme formateurs.

Nous proposons des formations dans tous les domaines qui intéressent les journalistes, qu'il s'agisse du métier de base, du photojournalisme, de la couverture en économie et finances, ou de l'éthique des médias.

Il existe aussi une dimension humanitaire à notre travail. Le projet qui me tient le plus à cœur est celui que nous avons réalisé au Liban. Le Programme des Nations Unies pour le développement nous a demandé de former une trentaine de journalistes libanais sur le thème de l'objectivité dans la couverture des conflits. Cet atelier, que nous avons réalisé à Beyrouth, a été suivi d'un autre consacré au reportage intercommunautaire. Alors nous avons mis ensemble des journalistes de différentes communautés, de différentes convictions politiques, de différentes religions et ils ont travaillé ensemble sur des problèmes qui affectent les différentes communautés dans lesquelles ils vivent, comme par exemple l'environnement. C'est un projet qui a vraiment contribué, à une petite échelle, à la réconciliation nationale au Liban.

Certains de nos projets ont été financés par les Nations Unies, par exemple au Moyen-Orient et en Afrique. Nous avons aussi répondu aux appels d'offre de la Commission européenne, et avons été retenus par exemple pour un projet de soutien des médias en Albanie, un ancien pays communiste qui est en transition vers la démocratie. Certains de nos projets ont été financés par les ambassades et les consulats de France, par exemple nous avons formé des journalistes palestiniens dans les territoires occupés et je crois que le gouvernement français voit l'intérêt de voir émerger une presse responsable, compétente et libre qui aiderait le peuple palestinien.

 Exercice 11 – page 25

Première partie

En tant que Président d'une association de rollers parisienne, il y a quand même pas mal de choses à dire. Le roller s'est développé dans la vie parisienne depuis les années 90-95. On a eu une grosse montée en puissance quand il y a eu ce qu'on appelle dans le jargon les grandes grèves. Donc à ce moment-là, les gens se sont dit « il va bien falloir que j'aille au travail. » Donc ils se sont mis à acheter des rollers et à se déplacer en rollers. Voilà !

Notre association, elle est née en 1997 et depuis le jour où l'association est née, le but c'est la promotion du roller. Le roller, c'était une mode et c'est devenu un mode de déplacement à part entière. Certains ne le croiront peut-être pas mais il y a des milliers de Parisiens tous les jours qui vont travailler en rollers. C'est super pratique, on passe partout, on va sur les trottoirs, on peut effectivement rouler avec une tolérance de la police dans les voies de bus ou dans les pistes cyclables (plutôt pistes cyclables que voies de bus parce que les voies de bus sont un peu plus dangereuses, nous on ne le conseille pas) et on se retrouve en fait avec un mode de déplacement qui coûte l'achat du matériel. On peut s'en servir pour aller au travail mais aussi on peut s'en servir pour les loisirs.

On a participé nous à des tests très sérieux qui ont été faits, où on a mis en concurrence les transports en commun, le vélo, le roller et la voiture. L'idée, c'était de dire eh bien j'habite à Colombes, et je dois aller à Montreuil travailler. Comment je fais et qui va arriver le premier ? Qui est arrivé le premier ? C'est le roller suivi du vélo. La voiture, on n'en parle même pas. Les transports en commun, oui bien sûr ! Ils sont arrivés après, c'est propre,

il n'y a pas de souci. Donc le roller, le vélo, les modes de déplacement doux dans Paris, pour moi, c'est une question d'avenir. C'est quelque chose qui doit perdurer. Et nous, on fera tout pour que ça perdure bien sûr. Alors après, ça passe par un développement des pistes cyclables et un développement aussi de la loi.

 Deuxième partie

Comme je l'ai dit tout à l'heure en préambule, le roller est un mode de déplacement qui est considéré comme piéton. Donc on a une obligation d'aller sur les trottoirs. Les piétons ne comprennent pas qu'on soit sur les trottoirs parce qu'on va plus vite qu'eux. C'est normal même si on essaie de faire très très attention. C'est obligé. Mais ils ne comprennent pas. Et la loi nous dit vous êtes des piétons, vous n'avez pas le droit d'aller sur la route, pas le droit de prendre les pistes cyclables, pas le droit de prendre les voies d'autobus. Il y a une tolérance bien sûr, depuis le temps qu'on travaille sur le sujet, tant avec la Mairie de Paris, qu'avec la Préfecture de police de Paris, qu'avec le Conseil régional, le Conseil général, on travaille avec eux. On fait partie de commissions où on regarde quelle est la largeur que doit avoir une piste cyclable pour que le roller s'y sente à l'aise dedans, pour que les gens puissent se croiser, quel est le revêtement, etc. Et dans quels quartiers on peut, on doit développer ces pistes cyclables, pour faciliter le déplacement tant des rollers que des vélos bien sûr. On est assez impliqués là-dedans et on va dans le bon sens. La Mairie de Paris fait énormément de ce côté-là. Il y a même un Monsieur Roller à la Mairie de Paris, il y a un Monsieur Roller aussi à la Direction de la Jeunesse et Sports au Ministère. C'est la preuve que le roller est pris au sérieux et que c'est un mode de déplacement. Maintenant il ne reste plus qu'à mettre en application le livre blanc qui a été écrit il y a quelques années sur le roller pour lui donner sa place dans le code de la route et dans le code de la circulation. Maintenant il faut que ça vienne.

 Exercice 12 – page 26

Première partie

Journaliste : Chers auditeurs, bonjour. Nous avons le plaisir de rencontrer aujourd'hui Hana Chidiac, responsable des collections Afrique du Nord et Proche-Orient au Musée du Quai Branly. Ce musée réunit un peu plus de

300 000 objets dont la plupart proviennent du laboratoire d'ethnologie du musée de l'Homme et les autres de l'ancien Musée national des arts d'Afrique et d'Océanie. Bonjour Hana !

Hana Chidiac : Bonjour !

Journaliste : Hana, vous êtes libanaise. Comment fait-on pour parvenir à ce poste ? Est-ce que vous pouvez nous parler de votre parcours ?

Hana Chidiac : Oui, bien sûr ! J'ai quitté le Liban en 1975. Donc au début de la guerre civile : destination la France ! Et plus exactement Annemasse en Haute Savoie. La séparation a été difficile avec le Liban, l'intégration aussi en Haute Savoie : le froid, la neige. Enfin après mon baccalauréat, je me suis inscrite à la Sorbonne, Paris IV. Et j'ai suivi des cours d'Histoire de l'art et d'archéologie. On m'a souvent posé la question pourquoi ce choix ? Un événement s'est passé dans ma vie au lycée, j'étais au Lycée français de Beyrouth et notre professeur de français a organisé une sortie qui nous permettait de découvrir le site de Byblos au nord de Beyrouth. Donc ça été le déclic, quelque part j'étais émerveillée par ce site. J'étais touchée par tout ce que j'avais découvert, cette nécropole royale, ce petit théâtre, et donc 5 ans plus tard je me suis inscrite à l'Université pour suivre des études d'archéologie. Mon rêve alors était de terminer mes études, d'aller travailler au Liban à la Direction des Antiquités. Mais la vie, voilà, les choses se sont passées autrement, je suis restée en France, évidemment la guerre était l'une des causes et j'ai eu la chance en 1983 d'être prise, en tant qu'assistante de conservateur au Musée de l'Institut du Monde arabe, où je suis restée 17 ans. Là j'ai travaillé essentiellement à l'enrichissement des collections du musée, à l'animation du musée, à l'organisation de grandes expositions. J'ai essentiellement travaillé sur une exposition consacrée au Yémen qui s'appelait « Au pays de la reine de Saba ». Alors depuis 7 ans, je suis au musée du Quai Branly. Je suis arrivée en 2002, le projet était encore en cours de mise en place et je suis aujourd'hui responsable des collections Afrique du Nord et Proche-Orient.

 Deuxième partie

Journaliste : Le Musée du Quai Branly a été inauguré en juin 2006 par l'ancien Président de la République, Jacques Chirac. Quel concept est à l'origine de ce musée ?

Hana Chidiac : L'idée de créer un musée consacré aux cultures non européennes est une idée qui est née il y a à peu près un an, en 1990. Jacques Kercharge, collectionneur et grand amateur des art dits « premiers », a lancé un manifeste, je vais le lire, intitulé « les chefs-d'œuvre du monde entier naissent libres et égaux ». Il souhaitait, Jacques Kercharge, à cette époque appuyer l'idée de créer au musée du Louvre une 8e section consacrée aux arts non européens, parce qu'au Louvre, évidement, il y a les départements des antiquités étrusques, grecques, romaines, etc. Et Jacques Kercharge considérait que les arts des autres continents étaient égaux à ceux présentés au Louvre, « Temple » de l'art occidental. Il a réussi à obtenir près de 300 signatures d'artistes, d'anthropologues, d'historiens de l'art, en faveur de ce projet. Quelques années plus tard en 1975, quand le Président Jacques Chirac a été élu, il a adopté ce projet, il a pris la décision de créer un musée, qui allait regrouper toutes les collections qui étaient au Musée de l'Homme et au Musée des Arts africains et océaniens qui était à la Porte Dorée, donc une collection d'à peu près 300 000 objets qui sont aujourd'hui au Musée du Quai Branly. Donc en 1999, après la décision de Jacques Chirac, un appel d'offres est lancé pour choisir l'architecte qui allait construire le musée et c'est Jean Nouvel qui a été désigné. Jean Nouvel a proposé quelques idées fortes, dont l'idée de surélever le bâtiment et de faire un jardin ouvert au public. Il a créé une tour d'instruments de musique qui s'élève sur 4 niveaux et qui en fait, présente les instruments de musique du musée. Mais ce sont les réserves, ce ne sont pas des vitrines et c'est le 1er musée qui présente au public l'intérieur de ses réserves, donc sous forme d'une tour. Donc en 2006, le musée a été inauguré et Jacques Chirac a précisé dans son discours qu'il s'agissait pour la France dans cette réalisation de « rendre hommage à des peuples auxquels au fil des âges, l'Histoire a trop souvent fait violence. »

 Troisième partie

Journaliste : C'est une très belle idée. C'est vraiment un lieu magnifique. On dit que le musée du Quai Branly a pour ambition d'être une cité culturelle et pas seulement un musée. Est-ce que vous pouvez nous en dire plus sur les différentes activités organisées par le Musée ?

Hana Chidiac : Oui, le musée du Quai Branly, contrairement aux anciens musées classiques, est une institution culturelle à multiples facettes. Le musée est tout d'abord un lieu de recherche. Sa mission première est de conserver les collections, de les exposer, de les publier, de faire connaître au public ces collections, donc de les mettre en valeur. Deuxièmement, c'est un lieu d'enseignement. Le Musée du Quai Branly accueille des chercheurs pour des périodes variées, il attribue des bourses doctorales et post-doctorales, il attribue également, si besoin est, des prix pour des thèses dont le travail est remarquable. Il offre également un enseignement à haut niveau destiné aux étudiants en master et en doctorat. Mais le musée ne délivre pas de diplôme, il ne peut pas se substituer aux universités ou aux écoles spécialisées. Enfin, en dehors de cet aspect purement scientifique, le musée est un lieu de spectacle, de conférence-débat, le musée est un lieu où le public jeune, les enfants peuvent venir suivre des visites contées, des ateliers, en résumé c'est un formidable outil de lien social qui favorise le dialogue des cultures non européennes.

Journaliste : Hana Chidiac, merci de nous avoir accordé cet entretien.

COMPRÉHENSION DES ÉCRITS

Descripteur global

✓ Peut lire des textes factuels directs sur des sujets relatifs à son domaine et à ses intérêts avec un niveau satisfaisant de compréhension.

Lire pour s'orienter

✓ Peut parcourir un texte assez long pour y localiser une information cherchée et peut réunir des informations provenant de différentes parties du texte ou de textes différents afin d'accomplir une tâche spécifique.

✓ Peut trouver et comprendre l'information pertinente dans des écrits quotidiens tels que lettres, prospectus et courts documents officiels.

Lire pour s'informer et discuter

✓ Peut identifier les principales conclusions d'un texte argumentatif clairement articulé.

✓ Peut reconnaître le schéma argumentatif suivi pour la présentation d'un problème sans en comprendre nécessairement le détail.

✓ Peut reconnaître les points significatifs d'un article de journal direct et non complexe sur un sujet familier.

pour vous **aider**

➡ NATURE DE L'ÉPREUVE

Cette épreuve dure 35 minutes. Elle comporte deux exercices.

	Objectifs	Note
Exercice 1	Dégager des informations utiles par rapport à une tâche donnée.	... / 10
Exercice 2	Analyser le contenu d'un document d'intérêt général.	... / 15

➡ PRINCIPAUX SAVOIR-FAIRE REQUIS

Les savoir-faire requis pour la compréhension des écrits sont ceux qui consistent à : repérer, identifier, localiser, comparer, sélectionner, classer des éléments, décrire, expliquer, justifier, exprimer. Ils sont sollicités à des degrés divers dans les deux tâches proposées.

Exercice 1 : lire pour s'orienter

Cet exercice a pour objectif de tester vos capacités à **repérer et sélectionner des informations** qui serviront à la réalisation de la tâche indiquée.

Il est composé d'une consigne, de **quatre textes** comprenant chacun de 80 à 100 mots ou bien de **cinq textes** comprenant chacun de 60 à 80 mots, et d'un tableau à compléter.

Les situations proposées sont celles que vous pouvez rencontrer dans **le domaine personnel ou professionnel** : famille, loisirs, centres d'intérêt, travail, etc.

Exercice 2 : lire pour s'informer et discuter

Cet exercice vise à tester vos capacités à **comprendre les informations, les idées et les points de vue** exprimés dans un texte authentique.

Il est composé d'**un texte** de 400 à 500 mots et de questions qui portent sur différents niveaux de compréhension de ce texte.

Ces niveaux de compréhension sont les suivants :

1. Compréhension globale :
– identifier la nature du document, son origine, sa fonction, le public auquel il est destiné,
– dégager le thème et les informations principales ;

2. Compréhension de détail :
– repérer les informations précises et pertinentes,
– classer, comparer et hiérarchiser ces informations,
– identifier les points de vue exprimés ;

3. Compréhension fine :
– identifier le ton de l'auteur,

Les textes proposés peuvent concerner **tous les domaines : personnel, public, professionnel et éducationnel**.

➡ CONSEILS DE MÉTHODE

Ces conseils ont pour but de développer une lecture sélective et rapide des documents proposés. Vous avez en effet **35 minutes** pour accomplir les deux tâches et il faut bien gérer ce temps. Sachez que la première tâche peut être réalisée plus rapidement que la deuxième.

Exercice 1 : lire pour s'orienter

Cette tâche peut être accomplie en **10 minutes** si vous suivez ces conseils :
1. Commencez par lire attentivement la consigne.
2. Reportez-vous ensuite au tableau à compléter. Il reprend les critères énoncés dans la consigne.
3. Lisez les documents proposés de façon méthodique : pour chaque document, au fur et à mesure que vous rencontrez une information qui correspond à un critère de la consigne, vous complétez le tableau. Sachez que l'ordre des critères énoncés dans la consigne, et repris dans le tableau, suit celui des informations contenues dans les documents.
4. Après la lecture de tous les documents, assurez-vous que toutes les cases du tableau sont cochées.
5. Répondez à la question de la consigne en vous appuyant sur les résultats notés dans le tableau.

Exercice 2 : lire pour s'informer et discuter

Il est nécessaire de bien s'organiser pour accomplir cette tâche dans le temps imparti (au maximum **25 minutes**, si vous avez passé 10 minutes à répondre au 1er exercice). Procédez de la façon suivante :
1. Commencez par identifier le document afin de déterminer s'il s'agit d'une publicité, d'un article de journal, d'une annonce de spectacle, d'un descriptif de film, de restaurant ou de région, etc.
2. Repérez son organisation : titres, sous-titres, paragraphes, mise en valeur de certains mots du texte.
3. Recherchez des références telles que la date et la source de l'article, l'auteur du texte, sa profession ou sa spécialité, qui sont parfois indiquées. Ces éléments vous donneront déjà quelques indications sur le thème du document, ce qui facilitera sa compréhension.
4. Faites ensuite une première lecture pour saisir le sens général (soulignez déjà à ce stade, si cela peut vous aider, les phrases, expressions ou mots qui vous semblent importants).
5. Pour répondre aux questions posées, faites une deuxième lecture en soulignant (si vous ne l'avez pas déjà fait) les phrases, expressions, mots clés en rapport avec les questions. Sachez que l'ordre des questions suit celui des informations données dans le texte.
6. Si vous en avez le temps, relisez une dernière fois le texte pour vérifier l'exactitude de vos réponses.

pour vous **entraîner**

1 Lire pour s'orienter

Conseils de méthode

Cette partie a pour objectif de vous donner les outils vous permettant d'acquérir le savoir-faire formulé dans le descripteur correspondant à *Lire pour s'orienter* et de vous préparer à l'épreuve qui vérifie cette acquisition. Différentes activités sont proposées. Elles ont toutes pour but, quelle que soit leur forme, de vous habituer à repérer, sélectionner et classer les informations pertinentes. Entraînez-vous de façon méthodique, en prenant le temps de vous familiariser avec les tâches demandées. Vous vous chronométrerez dans la partie « vers l'épreuve ».

Activité 1 : À table !

Commencez par lire la consigne et le tableau à compléter.
Prenez le temps de compléter le tableau après la lecture de chaque document.
Vous remarquerez que l'organisation du tableau reprend l'ordre d'apparition des informations contenues dans les documents.

Pour votre anniversaire, vous voulez inviter vos amis (12 personnes environ) au restaurant, un samedi soir de juin. Quel restaurant allez-vous choisir, sachant que :
– vous ne pouvez pas dépenser plus de 25 € par personne avec la boisson ;
– certains ne mangent que du poisson ;
– d'autres sont végétariens ;
– une de vos amies est en fauteuil roulant.

Brasserie Bacchus

Ouvert toute l'année.
Fermé le dimanche midi.

En face de la gare de Lyon, Paris 12e.

Formules à **24,50 €** le midi et **35 €** à partir de 23h30.
À la carte, comptez autour de **30 €**.

Une des plus belles brasseries de Paris, superbement décorée.
On y vient en famille, avec des hôtes étrangers ou en couple.
Atmosphère animée. Spécialités : foie gras chaud
aux pommes, steak grillé maître d'hôtel, poulet ou saumon
fumé, fruits de mer, salade du chef. Petits appétits s'abstenir.
Espace permettant l'accès à des personnes à mobilité réduite.

Réservation au 01 42 36 24 33

L'amicale

Près de la place de la République,
Paris 10e
Service de 12h à 14h et de 20h à 22h30

Fermé le dimanche soir et le lundi.
Congés annuels du 23 décembre
au 5 janvier et au mois de juillet.

Formule à **15 €** le midi et **25 €** le soir,
boisson non comprise.

Des produits frais toute l'année
venant du marché.
On déguste des plats toujours copieux.
On vous recommande
la soupe d'artichaut aux lardons,
le magret de canard (les viandes sont
la spécialité du restaurant)
ainsi que les desserts.

Réservez à l'avance : le restaurant est très petit
et n'a que 6 tables.

Réservation au 01 42 36 24 40

Chez Titine
34, rue Oberkampf

Menus à 15 € à midi, 18 € et 23 € le soir
(avec ¼ de vin ou d'eau minérale)

Un accueil toujours agréable dans ce bistrot au décor très simple et de bon goût, tenu par des amoureux de la nature. On vous servira des salades à volonté, venues du jardin de **Dorothée et Bruno**, couple bien sympathique. On vous recommande le carpaccio de coquilles Saint-Jacques ou de saumon et les desserts composés des fruits de saison et joliment présentés. Quand le temps le permet, manger dehors est un délice. Une attention particulière est apportée aux personnes à mobilité réduite.

Service de 11h30 à 23h30
Fermé le samedi midi et le dimanche
Congés en septembre et du 23 décembre au 5 janvier

Réservation au
01 46 25 45 36

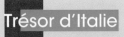

Trésor d'Italie

49, rue de la Fidélité, Paris 10ᵉ.
Service de 12 h à 15 h et de 19 h 30 à 23 h.
Fermé le dimanche soir.

À la carte **22 €** sans le vin. Le soir deux **formules à 24,50 €**
comprenant ¼ de vin ou d'eau minérale.

Grande salle bien décorée et terrasse. Entrez, vous voilà chez
le roi de la pasta ; le chef a passé huit années dans un restaurant
italien et un an à se perfectionner. Et quelles pâtes !
Nous recommandons aussi l'escalope milanaise. Enfin les gourmands
se régaleront, au dessert, avec le tiramisu maison.
Accueil chaleureux et aménagement prévu
pour les personnes ayant des problèmes pour se déplacer.

Réservation au 01 42 37 21 40

● Complétez le tableau par des croix selon l'offre de chaque restaurant.

	L'amicale		Brasserie Bacchus		Chez Titine		Trésor d'Italie	
	oui	non	oui	non	oui	non	oui	non
Jour et heures d'ouverture								
Budget								
Poisson								
Végétarien								
Accès en fauteuil roulant								

● Quel restaurant choisissez-vous pour contenter tout le monde ? ....

△

Avez-vous bien commencé par lire la consigne puis le tableau à compléter avant de lire les documents ?
Avez-vous remarqué que l'ordre des critères énoncés dans la consigne et repris dans le tableau suit
celui des informations contenues dans les documents ?
Avez-vous pris le temps de renseigner le tableau après la lecture de chaque document ?
Quelles difficultés avez-vous rencontrées ?

Activité 2 : Toujours à table !

Pour fêter votre réussite aux examens, vous souhaitez inviter vos amis (6 personnes environ) au
restaurant un dimanche midi de juillet. Quel restaurant allez-vous choisir, sachant que :
– votre budget est de 30 € boisson non comprise ;
– certains aiment la viande ;
– d'autres sont claustrophobes (ne supportent pas un lieu fermé) ;
– tous aiment les desserts.

	L'amicale		Brasserie Bacchus		Chez Titine		Trésor d'Italie	
	oui	non	oui	non	oui	non	oui	non
Jour et heures d'ouverture								
Budget								
Viande								
Terrasse								
Desserts								

● Quel restaurant choisissez-vous pour contenter tout le monde ? ....

Activité 3 : Votre école d'art

Vous n'avez pas encore fait le choix de votre métier d'art et vous désirez :

– entrer dans une école qui a su allier tradition et modernité ;

– contacter une école peu sélective pour avoir de grandes chances que votre candidature soit retenue ;

– faire des études courtes (2 années après le bac) ;

– vous orienter vers la communication visuelle ;

– avoir un grand choix de BTS (3 ou 4).

1. Lisez d'abord les textes pour en saisir l'idée générale : il s'agit des formations aux métiers d'arts proposées par des écoles d'arts appliqués.

2. Relisez les textes en vous référant aux critères de choix pour pouvoir compléter le tableau :
   – l'historique ;
   – la sélection des élèves ;
   – la durée de la formation ;
   – les métiers auxquels elles forment ;
   – les brevets ou diplômes proposés.

Connues pour leur excellence,
Boulle, Duperré, Olivier de Serres et Estienne
forment à des BTS en arts appliqués,
mais aussi à des diplômes des métiers d'art.

Boulle

Née en 1886, l'école est à la fois un conservatoire des savoir-faire et un laboratoire de la création. Elle forme les élèves, depuis la seconde jusqu'au niveau bac + 4, aux métiers du meuble et de l'aménagement. Ici les métiers d'art prennent toute leur noblesse, qu'ils soient tournés vers le décor et le mobilier […], vers les ornements et l'objet […] ou encore vers l'art du bijou. Quatre BTS complètent l'offre post bac. […] Ils peuvent mener à des formations complémentaires et Boulle engage ses élèves une fois leur BTS en poche à tenter leur chance dans les grandes écoles. […]

Duperré

Entrer à Duperré relève de l'exploit. Sur les 2200 dossiers reçus l'an passé pour l'entrée en classe de mise à niveau, 85 ont été retenus. « Seuls les excellents élèves du secondaire ayant un intérêt pour l'art ont une chance » note le proviseur, M. Jean-Pierre Mongénie. Si la Manaa (classes de mise à niveau) de Duperré est très courue, la réputation de l'établissement tient à ses BTS : en design d'espace, en communication visuelle […] et surtout en design de mode […] – sa filière d'excellence unanimement reconnue. Elle ouvre aux formations aussi bien aux Arts déco qu'à l'Institut français de la mode.

Olivier-de-Serres

Située dans le 15e arrondissement parisien, l'ENSAAMA, plus connue comme l'école Olivier-de-Serres, achève sa mue. Cinq ans durant, des travaux de rénovation ont perturbé le déroulement des cours. « Nous allons pouvoir ouvrir davantage nos portes à la prochaine rentrée », se réjouit la directrice Marie-José Mascioni. Une bonne nouvelle également pour les quelque 2 260 candidats qui postulent pour les 120 places de la mise à niveau. Les raisons d'un tel engouement ? Sans nul doute la qualité des enseignements dispensés, mais surtout leur diversité : Olivier-de-Serres est l'établissement parisien proposant le plus de formations en arts appliqués : 7 BTS, cinq diplômes de métiers d'art (DMA), 3 diplômes supérieurs (DSAA) en communication visuelle, création industrielle, architecture et environnement.

Estienne

Fondée voilà plus de 125 ans, Estienne reste l'école par excellence des métiers du livre. [...] Elle a su évoluer et se préparer aux métiers d'avenir. Nulle part ailleurs, il n'est possible de travailler aussi bien avec des caractères de plomb sur de vieilles presses qu'avec des logiciels de composition dernier cri. Atypique, l'école forme à toute la chaîne graphique, de la concep-

tion à l'impression, et a su se diversifier. Certains des élèves se consacrent aux métiers d'art (DMA, dorure, gravure, typographie, illustration et, depuis 2004, cinéma d'animation), d'autres se dirigent vers les BTS de communication visuelle, d'édition (le seul dans l'enseignement public) ou vers ceux de la communication et des industries graphiques (CIG).

Télérama spécial
« choisir votre école et votre métier »,
spécial « formation art » du 28 janvier 2009

BTS : Brevet de technicien supérieur (bac +2)
DMA : diplôme des métiers d'art (bac +2)
DSAA : diplôme supérieur des arts appliqués (bac +4)

● Cochez les cases du tableau :

Descriptifs	Boulle		Duperré		Olivier-de-Serres		Estienne	
	oui	non	oui	non	oui	non	oui	non
Tradition et modernité								
École peu sélective								
Études courtes								
Communication visuelle								
Grand choix de BTS	✕							

● Quelle école choisissez-vous ?

....

● Citez les passages des documents qui ont justifié votre choix :

– concernant l'historique :

....

....

– concernant la sélection des élèves :

....

....

– concernant la durée de la formation :

....

....

– concernant les métiers auxquels elles forment :

....

....

– concernant les brevets ou diplômes proposés :

....

....

Activité 4 : Un job d'étudiant

Un groupe d'amis recherche un job d'étudiant :

● Peter recherche une ambiance de travail agréable, il est titulaire du baccalauréat, parle l'anglais couramment et se déplace toujours en scooter. Il souhaite être rémunéré au moins au smic horaire (smic horaire brut : 8,86 euros au 1er janvier 2010).

● Lucia aime bien le contact avec le public, elle apprend l'anglais, n'a pas le baccalauréat et vient d'avoir son BAFA. Une rémunération même irrégulière lui conviendrait.

● Narjès a une grande expérience du travail avec les enfants et les adolescents, mais elle n'a pas le BAFA. Elle a le baccalauréat et a besoin d'un salaire régulier et au smic.

● Sarah aime les ambiances animées et les contacts, elle accepterait même un emploi du temps aux horaires imprévisibles. Elle parle l'espagnol.

Pour chaque annonce, ils ont rempli des petites fiches qui résument le job proposé.

Jobs étudiants : Animateur(trice) de loisirs.
Le plus : Une ambiance de travail souvent agréable pour qui aime s'occuper des enfants et des adolescents.
Le moins : Pas bien rémunéré dans les colonies de vacances.
Quoi ? Organiser les animations dans les colonies de vacances, les centres aérés (les mercredis et pendant les congés scolaires) ou les goûters d'anniversaire.
Quel profil ? Le BAFA (brevet d'aptitude aux fonctions d'animateur) est le plus souvent exigé.
Combien ? Entre 50 et 90 € brut par jour en centre aéré et entre 1 000 et 1 500 € net par mois (logé et nourri) en colonie de vacances. Mieux payé aux goûters d'anniversaire (45 € pour trois heures).

Jobs étudiants : Assistant(e) d'éducation.
Le plus : Une ambiance d'études qui ne vous dépaysera pas.
Le moins : Un recrutement sélectif.
Quoi ? Encadrer et surveiller des élèves à la récréation, en études en fin de journée, voire la nuit en internat, dans un collège ou un lycée, public ou privé.
Quel profil ? Être titulaire du bac ou de tout autre diplôme de niveau IV. Le BAFA n'est pas obligatoire. Pour les établissements publics, ce statut est « destiné à bénéficier en priorité à des étudiants boursiers » (loi du 30 avril 2003).
Combien ? En général, le SMIC horaire.

Jobs étudiants : Baby-sitter.
Le plus : Des horaires à la carte.
Le moins : La rémunération variable.
Quoi ? Aller chercher un ou plusieurs enfants à l'école (après 16 h 30), les ramener chez eux et les surveiller jusqu'au retour des parents (entre 18 h 30 et 20 h 30 en général), les garder éventuellement le mercredi toute la journée, parfois les aider à faire leurs devoirs ou bien assurer seulement des gardes en soirée.
Quel profil ? Faire preuve de maturité et de responsabilité pour avoir la confiance des parents des enfants dont vous allez vous occuper.
Combien ? En général, le SMIC horaire.

Jobs étudiants : Hôtesse ou hôte.

Le plus : Une bonne expérience des relations publiques.

Le moins : Un emploi irrégulier, souvent le week-end, et difficile à prévoir à l'avance.

Quoi ? Accueillir le public à l'accueil d'une entreprise, d'un colloque ou d'un salon, animer un stand, réaliser des actions de communication…

Quel profil ? En général, il est demandé de mesurer au moins 1,70 m pour les filles et 1,80 m pour les garçons et d'avoir une excellente présentation. La maîtrise de l'anglais est fréquemment exigée; la connaissance d'autres langues étrangères est un plus.

Combien ? La rémunération est variable selon les missions, les agences et le niveau de qualification. Comptez au minimum le SMIC horaire.

Jobs étudiants : Saisonnier en parc de loisirs.

Le plus : Un environnement de travail agréable.

Le moins : À concilier avec des études uniquement en période de vacances et pendant les week-ends.

Quoi ? Accueillir le public, le renseigner, veiller à la sécurité des personnes sur les installations et les manèges, etc.

Quel profil ? La maîtrise de l'anglais est souvent exigée et une seconde langue étrangère est bienvenue. Mieux vaut aussi disposer d'un véhicule en raison des horaires tardifs.

Combien ? Le SMIC horaire.

1. Complétez le tableau concernant chacun de ces jobs.

	Animateur		Assistant d'éducation		Baby sitter		Hôtesse ou hôte		Saisonnier (parc de loisirs)	
	oui	non	oui	non	oui	non	oui	non	oui	non
Ambiance agréable										
Travail régulier										
Public de tous les âges										
Baccalauréat demandé										
Connaissance de l'anglais										
Moyen de transport personnel										
Salaire au smic										

2. À quel(s) poste(s) chacun d'entre eux peut-il postuler ?

	Animateurs de loisirs	Assistant d'éducation	Baby sitter	Hôtesse ou hôte	Saisonnier (parc de loisirs)
Peter					
Lucia					
Narjès					
Sarah					

Activité 5 : À chacun selon ses goûts !

Vous recherchez un livre à offrir à un(e) ami(e).

Cette personne aime les romans qui :
– relatent des expériences personnelles ;
– se basent sur des faits historiques ;
– sont très bien écrits,
– s'interrogent sur des problèmes humains d'actualité.

Quel livre choisissez-vous, sachant que les critères les plus importants pour votre ami(e) sont
la qualité de l'écriture et les problèmes humains
d'actualité ?

1. *D'autres vies que la mienne*
d'Emmanuel Carrère,
éditions P.O.L.

Avec un ton sec et juste,
Emmanuel Carrère nous émeut grâce
aux portraits, terriblement vrais car
tirés de la réalité avec le consentement
des intéressés, de tous les anonymes
auxquels il rend hommage.
Un livre profondément humain qui
raconte des vies brisées avec beaucoup
de tact et paradoxalement d'optimisme.

2. *Le lièvre de Patagonie*
de Claude Lanzmann,
éditions Gallimard

Il nous embarque, fascinés,
dans ses confessions
les plus intimes.
Claude Lanzmann, qui dans
ce livre passionnant raconte
un demi-siècle d'histoire,
réussit le tour de force
de faire de ce passé
un présent continu.

3. *Personne*
de Gwénaëlle Aubry,
éditions Mercure de France

Lettre après lettre, ce roman recompose
la figure d'un disparu qui, de son vivant
déjà, était étranger au monde
et à lui-même.
L'auteur fait défiler les doubles qu'il
abritait, les rôles dans lesquels
il se projetait.
« Personne », comme le nom
de l'absence, personne comme l'identité
d'un homme qui a laissé place à tous
les autres en lui.

5. *Trois femmes puissantes*
de Marie NDiaye,
éditions Gallimard

Depuis ses débuts précoces
(elle a publié son premier livre
à l'âge de 17 ans), Marie NDiaye a très
souvent suscité l'admiration. La beauté
de sa langue, l'étrange force de son
inspiration, sa maîtrise du récit l'ont
même imposée comme l'une des figures
majeures de la littérature française.
Dans ce livre, Marie Ndiaye raconte
des vies déchirées entre l'Afrique
et la France. Une interrogation sur
la condition humaine la plus
contemporaine : les migrations
et les questions d'appartenance.

4. *Une vie à coucher dehors*
de Sylvain Tesson,
éditions Gallimard

À force de marcher dans les déserts
d'Asie Centrale, de bivouaquer dans
les hauteurs himalayennes, le loup
solitaire a longtemps couché dehors.
Une manière de ramener l'existence
humaine à sa juste proportion :
infiniment minuscule.
Ce garçon est de la trempe
des vrais écrivains.

1. Cochez les cases du tableau lorsqu'un livre répond aux critères énoncés :

	1.	2.	3.	4.	5.
Le livre relate des expériences personnelles vécues par l'auteur.		✓		✓	
Le livre se base sur des faits historiques.	✓	✓			
Le livre est très bien écrit.			✓		✓
Le livre s'interroge sur des problèmes humains d'actualité.	✓		✓		✓

2. Quel livre choisissez-vous ? ....

2 Lire pour s'informer et discuter

Cette partie a pour objectif de vous donner, petit à petit, les outils vous permettant d'acquérir le savoir-faire formulé dans le descripteur correspondant à *Lire pour s'informer et discuter* et de vous préparer à l'épreuve qui vérifie cette acquisition. Différentes activités et stratégies sont proposées. Elles ont toutes pour but, quelle que soit leur forme, de vous entraîner à :
– repérer, sélectionner, classer, hiérarchiser les informations pertinentes ;
– saisir le thème ou le sens général du document, les idées essentielles ou plus détaillées ;
– accéder à la compréhension fine du document présenté.
Vous serez aussi amenés dans cette partie à justifier vos choix et à produire des réponses courtes.

Entraînez-vous de façon méthodique, en prenant le temps de vous familiariser avec les tâches demandées. Vous vous chronométrerez dans la partie « vers l'épreuve ».

Activité 6 : Critiques de cinéma

1. Lisez ces huit points de vue de spectateurs sur le film de Jeunet, *Micmacs à tire-larigot*.

2. Repérez ceux qui ont apprécié, plus ou moins apprécié, pas du tout apprécié le film et complétez le tableau à l'aide d'une croix.

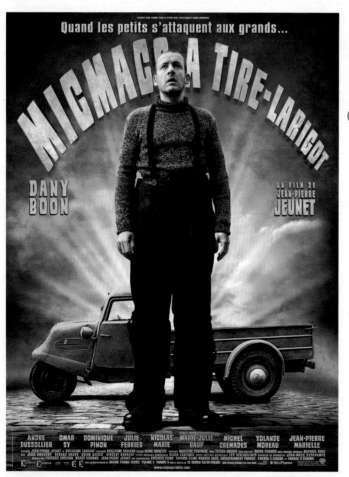

❶ Ce film rappelle les films précédents de Jeunet, *Delicatessen* et *Le Fabuleux Destin d'Amélie Poulain*, à la fois drôle et sensible. Dans *Micmacs*, les situations comiques s'enchaînent et nous surprennent car on ne sait jamais quel sera le prochain gag. Ce film est une vraie réussite et il devrait connaître un grand succès.

❷ Le réalisateur a voulu faire un film drôle, en fait, à force de vouloir enchaîner les gags qui se ressemblent, il ne fait pas rire du tout. Beaucoup de clichés, comme dans *Amélie Poulain*. Jeunet se répète en nettement moins génial et on a l'impression qu'il est en panne d'imagination.

❸ Certains gags du film font penser à ceux de Charlot dans les films de Charlie Chaplin. Les acteurs sont tous plus touchants les uns que les autres, un grand vent de tendresse passe dans ce film. Parfois on rit même à en pleurer, tellement les situations tiennent à la fois de la comédie et du drame. Jeunet nous émeut toujours.

4 En voyant ce film, on a l'impression de déjà vu, car même si le scénario est différent des autres films, le réalisateur prend comme décor un Paris qu'il a déjà montré dans d'autres films. Cela n'empêche pas qu'on se laisse séduire par le jeu des acteurs.

5 Dès le début, on sait où le réalisateur veut en venir avec sa petite équipe de clowns au grand cœur. Il veut nous faire rire de leurs pitreries, en fait, il nous agace et nous lasse très vite. Le scénario n'a rien d'original, les aventures invraisemblables nous laissent indifférents et on regrette d'avoir passé tout ce temps dans une salle obscure quand il y a tant d'autres choses plus intéressantes à faire.

6 Voilà du Jeunet en pleine forme. Beaucoup d'imagination, un monde bien particulier où les personnages si attachants se sentent à l'aise et nous transmettent leur bonne humeur. Nous remercions le réalisateur de nous procurer cet agréable plaisir. Il y a longtemps que nous n'avions tant ri.

7 On retrouve le côté rétro d'*Amélie Poulain* avec ses décors du Paris des années 50 mais sans l'originalité de l'histoire et on repère vite les « trucs » de Jeunet ; malgré cela, il faut admettre qu'on se laisse toucher par le jeu des acteurs et par quelques scènes assez drôles et pleines de délicatesse.

8 Jeunet, semblable à lui-même. On aime ou on n'aime pas. Certains s'agacent, avec une pointe de snobisme, d'autres prennent le film pour ce qu'il est : une comédie pleine de sensibilité et de drôlerie jouée par d'excellents acteurs. C'est dans cet esprit que nous avons vu ce film touchant par sa naïveté et son inventivité.

	Les critiques ont		
	apprécié	plus ou moins apprécié	pas du tout apprécié
1			
2			
3			
4			
5			
6			
7			
8			

3. Pour chaque critique, citez les mots, expressions, phrases qui ont justifié votre choix.

1 ....
2 ....
3 ....
4 ....
5 ....
6 ....
7 ....
8 ....

Activité 7 : Que mangent les adolescents ?

Une bonne baffre[1]

Loin des poncifs sur le régime alimentaire catastrophique des ados, des chercheurs dédramatisent.

Rarement colloque sur les adolescents se sera voulu aussi rassurant. Dès l'intitulé – « Et si les inquiétudes sur l'alimentation des jeunes Français étaient un peu exagérées ? » – l'Ocha (Observatoire des habitudes alimentaires des professionnels laitiers) fait le choix de la dédramatisation pour cette réunion qui se tient aujourd'hui et demain à Paris.

Balayés les cris d'alarme sur la malbouffe[2] et l'obésité. À en croire la quinzaine de chercheurs du CNRS[3], associés pendant trois années d'enquête de terrain au projet AlimAdos, les adolescents de France mangent plutôt bien. Laxistes[4] les chercheurs qui vont présenter aujourd'hui les fruits de leurs observations ? Sur l'obésité, on serait tentés de leur donner raison. Car s'il est vrai que le phénomène progresse, il reste limité. La France reste en queue du palmarès européen avec 11,3 % d'obèses. En revanche, ce qui inquiète bien davantage ces chercheurs, c'est la stigmatisation de l'obésité maintes fois constatée sur le terrain. Désireux de ne pas se laisser piéger dans l'impasse du « tout est grave », ils défendent donc une vision démédicalisée de l'adolescence, en cessant de regarder cette classe d'âge comme une pathologie. « Nous avons cherché à confronter le discours ambiant – "attention, les adolescents mangent mal" – aux pratiques réelles », expliquent-ils.

Ce qui ressort de ces trois années d'observation, c'est que les adolescents se goinfrent beaucoup moins souvent de cochonneries qu'on ne le croit. Mieux, ils sont conscients des bienfaits comme des pièges de certains aliments. Et s'ils s'autorisent à manger trop sucré ou trop gras, ils n'en sont pas captifs, multipliant aussi les occasions d'affirmer leurs goûts. Comment ? En faisant des allers-retours entre les habitudes familiales et leurs envies d'émancipation, en tentant leurs propres explorations culinaires.

Ainsi, l'alimentation n'est pas nécessairement un problème. Mais plutôt un plaisir, certes entrecoupé de contraintes imposées par leurs parents, mais une façon très agréable quand même de se restaurer, chemin faisant, dans la traversée qui les conduit de l'enfance à l'âge adulte. ∎

Marie-Joëlle GROS, *Libération*, 12/10/2009

1. **Une baffre :** un mot inventé, composé de deux mots (bouffer qui est l'argot de manger et se goinfrer qui est l'argot de manger avec excès).
Voir se goinfrer dans l'avant-dernier paragraphe.

2. **La malbouffe,** c'est le fait de choisir des aliments qui ne sont pas bons pour la santé, donc de « bouffer mal ».

3. **Laboratoires CNRS** (Centre national de recherche scientifique) en Alsace et Provence-Alpes-Côte-d'Azur, avec l'Agence nationale de la recherche (ANR). Plus de 500 familles intérrogées et 1 500 entretiens menés.

4. **Laxiste :** qui n'est pas rigoureux, sévère.

1. Avant de lire le texte de façon linéaire, recherchez les infos qui permettent de l'identifier :

a) Quelle est la source ? ....

b) Quelle est la date ? ....

c) Qui est l'auteur ? ....

d) De quel type de document s'agit-il ? ....

e) Comment est-il organisé (titre(s), paragraphes) ? ....

2. Lisez le texte.

3. Quel est le sujet de ce texte ?
❏ Les résultats d'observations sur l'alimentation des jeunes.
❏ Les dangers observables de l'obésité chez les jeunes.
❏ Les problèmes d'alimentation des jeunes en France.

4. Relisez le texte en soulignant les mots et les passages en rapport avec chaque question puis cochez la case qui convient.

a) Comment mangent les ados ?
❏ Ils mangent vraiment n'importe quoi.
❏ Ils mangent beaucoup trop de sucreries.
❏ Ils mangent mieux qu'on ne le croit.
Citez les éléments du texte qui justifient votre réponse : ....
....

b) Quel est le réel problème de l'obésité en France ?
❏ C'est sa grande progression.
❏ C'est de rendre les obèses coupables de leur état.
❏ C'est le grand nombre actuel d'obèses.
Citez les éléments du texte qui justifient votre réponse : ....
....

c) De quelle façon les chercheurs considèrent-ils les adolescents ?
❏ Bienveillante.
❏ Méfiante.
❏ Critique.
Citez les éléments du texte qui justifient votre réponse : ....
....

d) Comment définir la démarche des chercheurs ?
❏ Scientifique.
❏ Intuitive.
❏ Théorique.
Citez les éléments du texte qui justifient votre réponse : ....
....

5. Le discours de l'auteur est :
❏ alarmiste.   ❏ rassurant.   ❏ fataliste.

Activité 8 : Pour un monde durable

Lisez ce texte puis répondez aux questions.

INTERVIEW de Jean VIARD
Par Alexandra SCHWARTZBROD

« Les vacances, c'est ce qui permet le mieux de sentir les tendances de fond d'une société. Et ce mouvement de retour à des valeurs comme la famille ou la nature, on le sent de plus en plus. Il y a vingt ans, le tourisme c'était sea, sex and sun. Aujourd'hui, il est plus lié à l'affectif (la famille ou les amis), et à la quête de sens. On voit bien qu'avec la crise économique, les valeurs de marchandisation sont en net recul. Beaucoup de gens consomment moins non seulement parce qu'ils y sont forcés mais aussi, inconsciemment ou pas, parce qu'ils veulent être en harmonie avec une société qui souffre.

« Les vacances sont un miroir de nos interrogations. Ainsi, le bling-bling[1] ne fait plus rêver, il provoque même un rejet. Avoir des vacances plus écologiques, plus solidaires, plus affectives, c'est considéré comme plus honorable. À prix égal, si on a le choix entre vacances écologiques et vacances de pure consommation, on choisira plutôt les premières.

« Et je pense que c'est un mouvement de fond. Longtemps, la culture de l'entreprise a été la valeur dominante de notre société. Il fallait mettre de la performance partout : dans le couple, au lit, au boulot, en vacances... La crise a mis un terme à cette idéologie-là, et accentué une prise de conscience écologique qui émergeait. Le phénomène du développement durable va devenir de plus en plus une idéologie collective, remplaçant progressivement l'idéologie du progrès. »

Libération, 17/08/09
Jean VIARD a publié
*Lettre aux paysans et aux autres
sur un monde durable*
aux éditions de l'Aube.
Jean VIARD est directeur
de recherches au CNRS

1. le bling-bling : ici, il s'agit des vacances dans des endroits à la mode, où on dépense beaucoup d'argent en le faisant savoir.

Cette activité demande une compréhension globale et détaillée. Pour la compréhension détaillée, prenez le temps de relire le texte pour répondre à chaque question.

▽

Compréhension globale

1. Quel est le thème essentiel ?
❏ L'importance des vacances pour les salariés.
❏ L'évolution de la société en vingt ans.
❏ Vers une attitude davantage individualiste.

Citez les éléments du texte qui justifient votre réponse : ....

2. Trouvez, parmi ces trois titres, celui que l'auteur a donné.
❏ À la recherche de la famille.
❏ En route vers la décroissance.
❏ L'idéologie de la performance, c'est fini.

Citez les éléments du texte qui justifient votre réponse : ....

Compréhension détaillée

3. Quelle est la position de l'auteur ?
❏ Le changement observé est une tendance qui va durer.
❏ Le changement observé est un effet de mode.
❏ Ce changement est très positif.

Citez les éléments du texte qui justifient votre réponse : ....

4. Quel est la principale raison d'un tel changement ?
❏ La crise a été déterminante.
❏ Les gens sont plus solidaires.
❏ Le progrès ne fait plus rêver.

Citez les éléments du texte qui justifient votre réponse : ....

vers **l'épreuve**

Les documents proposés dans la partie « vers l'épreuve » correspondent exactement au format de ceux de vos examens. À la fin de cette partie, vous devriez être prêt(e) à réaliser les tâches des exercices de la compréhension des écrits du DELF B1, rapidement et sans erreur. Essayez de réaliser les exercices suivants dans le temps de l'examen, en vous chronométrant : 10 minutes pour les exercices 1 à 3 (lire pour s'orienter) et 25 minutes pour les exercices 4 à 6 (lire pour s'informer et discuter).

EXERCICE 1   10 POINTS

0,5 point par case

Des amis vous demandent des conseils pour un week-end aux alentours de Paris.

Ils souhaitent :

– arriver en transport en commun ;

– se loger à des prix très abordables (moins de 50 €) ;

– découvrir le patrimoine culturel ;

– se promener à pied ou à bicyclette ;

– manger de façon très économique (entre 7 et 15 €).

LA CÔTE D'ALBÂTRE : ÉTRETAT

Accès depuis Paris : par train et bus ou par voiture.

Où dormir ? chambres d'hôtes, hôtels (comptez un minimum de 50 €).

Que faire ? balades à pied le long des fameuses falaises (attention au précipice), recommandées pour profiter du grand air, ou bien balades à vélo.

Où se restaurer ? produits locaux, huîtres, crevettes et autres fruits de mer (comptez 20 € par personne dans les restaurants).

Étretat, ce sont avant tout les falaises qui tombent à pic dans la mer. C'est aussi une station balnéaire où l'air vivifiant a contribué au dicton « À Étretat, les centenaires ne meurent que par imprudence. »

AUVERS-SUR-OISE

Accès depuis Paris : par train, par RER ou par voiture.

Où dormir ? camping, chambres d'hôtes, hôtels (de 10 à 60 €).

Que faire ? promenades commentées sur Auvers et la peinture, expositions de peinture toute l'année, visite de la maison de Van Gogh.

Où se restaurer ? cuisine traditionnelle dans des restaurants à tous les prix (repas de 8 à 15 €).

Auvers-sur-Oise est fière d'avoir accueilli de nombreux peintres venus chercher hors de la ville des sensations et des couleurs nouvelles.

VAUX-LE-VICOMTE

Accès depuis Paris : par train ou par voiture.

Où dormir ? hôtel (de 50 à 120 €).

Où se restaurer ? repas à des prix raisonnables dans les parties communes du château (de 10 à 20 €).

Que faire ? visite du château et promenade dans les jardins.

Les jardins et le château sont ouverts tous les jours du 29 mars au 11 novembre. De 10 h à 18 h.

Visites aux chandelles du 3 mai au 11 octobre. Les jardins et les salles sont éclairés de plus de 2 000 bougies.

C'est l'un des plus beaux châteaux d'Île-de-France, celui qui donna à Louis XIV l'idée de construire Versailles. Il est le produit du talent des plus grands artistes de son temps.

VÉZELAY

Accès depuis Paris : train + bus (sauf week-end), voiture.

Où dormir ? hôtels, auberge de jeunesse (comptez un minimum de 15 €).

Que faire ? visite de la célèbre basilique, du musée Viollet-le-Duc, promenade dans le village et la campagne, location de chevaux.

Où se restaurer ? plusieurs auberges, hôtelleries dans les environs, menus gastronomiques (de 20 à 35 €).

L'abbaye est connue de l'Europe entière depuis le xie siècle. Au cours des siècles, Vézelay fut une étape pour les pèlerins qui se dirigeaient vers Saint-Jacques-de-Compostelle.

● Dans le tableau ci-dessous, indiquez à l'aide d'une croix si l'endroit correspond ou non aux critères établis par vos amis.

	Étretat		Auvers-sur-Oise		Vaux-le-Vicomte		Vézelay	
	oui	non	oui	non	oui	non	oui	non
Arriver en transport en commun								
Se loger à des prix très abordables								
Découvrir le patrimoine culturel								
Se promener à pied ou à bicyclette								
Manger de façon très économique								

● Quel lieu conseillez-vous ?

....

EXERCICE 2   10 POINTS

0,5 point par case

Vos amis veulent passer une semaine, du 15 au 22 juillet, à Saint-Malo avec leurs deux enfants et vous demandent de rechercher un hôtel qui :

– soit près des plages ;

– accueille des familles ;

– propose une cuisine fine et copieuse avec des plats de la région ;

– offre l'accès à Internet ;

– corresponde à leurs possibilités financières (au maximum 120 euros pour l'hébergement de toute la famille).

Hôtel Bel Air

■ **Plein cœur de la cité corsaire**
27 chambres.
4 suites familiales avec salle de bains,
2 WC, 2 TV, tél., sèche-cheveux.
2 restaurants.
1 bar.
Cuisine Internationale.

■ **Séminaires :**
partenaire du Palais des Congrès situé à 300 m de l'hôtel.
Salons organisés depuis 15 ans.
Connexion internet sur demande.

	Single	Twin	Suite familiale
Basse saison	52 à 60 €	60 à 70 €	110 €
Moyenne saison	55 à 75 €	68 à 83 €	135 €
Haute saison	60 à 80 €	75 à 96 €	155 €

Basse saison :
du 01/01 au 30/04 et du 26/09 au 20/12
Moyenne saison :
du 01/05 au 12/07 du 01/09 au 25/09
Haute saison :
du 13/07 au 31/08 et du 21/12 au 31/12

■ Petit déjeuner : 9 €

■ Parking : 12 €

■ Animaux : 6 €

Hôtel du large

À 100 mètres du Palais des Congrès, du casino, du centre de thalassothérapie et des bus pour aller sur les plages.

50 chambres, simples, doubles ou triples.
Téléphone (appel extérieur direct).
Connexion internet dans toutes les chambres.
WIFI gratuit.
Télévision (chaînes européennes et sportives) 24h sur 24 par satellite.
2 restaurants (spécialités japonaises et italiennes) dans salle et jardin. Pub anglais.

Accueil de groupes en séjours touristiques ou en séminaires de travail.

Single : **59 €**   Double : **64 €**   Triple : **89 €**
Petit déjeuner : **8 €**
Parking privé

Hôtel de la mer

Accès direct à la plage, à 1 kilomètre des remparts de la cité corsaire, à 500 mètres du centre de thalassothérapie.

52 chambres, dont 24 avec vue sur mer, équipées de télévision (écran plat).
Chambres pour personnes à mobilité réduite.
Chambres familiales.
Salle de bain équipée de douche ou baignoire.

Téléphone et accès Internet payants.
Petits déjeuners avec vue sur la mer.
Bon choix de restaurants aux alentours immédiats.

Single : de 53 à 60 €

Double : de 62 à 75 €
Suite familiale : de 130 à 140 €

Triple : de 75 à 90 €
Suite familiale : 145 à 160 €

Petit déjeuner : 7 €

Hôtel le voilier

En plein cœur de la ville, **Oriane et Clément** seront heureux de vous accueillir.
Seulement quelques minutes à pied des plages, des commerces, du Palais des congrès.
Toutes nos chambres sont équipées de grands lits ou lits jumeaux, douche ou bain, toilettes, écran plat, WIFI **gratuit**.
Possibilité d'accueillir des familles (double standard avec douche).

Cuisine locale raffinée, élaborée à partir de produits de qualité. Vous n'aurez plus faim en sortant de table !
Les petits-déjeuners sont servis sur la terrasse, sous forme de buffet.

	BS	HS
Single standard avec douche	50 €	55 €
Double standard avec douche	55 €	60 €
Triple standard avec baignoire	69 €	72 €

Petit Déjeuner 9,00 €

Parking privé

Basse Saison du 01/11 au 20/03
Haute Saison du 21/03 au 30/10

● Dans le tableau ci-dessous, indiquez à l'aide d'une croix si l'endroit correspond ou non aux critères établis par vos amis.

	Hôtel Bel air		Hôtel du large		Hôtel de la mer		Hôtel le voilier	
	oui	non	oui	non	oui	non	oui	non
Proximité des plages								
Accueil des familles								
Cuisine régionale								
Connexion internet								
Tarifs								

● Quel hôtel allez-vous recommander à vos amis ?

....

EXERCICE 3   10 POINTS

0,5 point par case

Votre amie Lydia et vous-même recherchez un emploi dans une maison d'édition. Vous lisez les emplois proposés ci-dessous.

Quel(s) emploi(s) conviendrai(en)t à votre amie Lydia sachant que :
– elle a déjà travaillé dans ce domaine ;
– elle a une formation scientifique et littéraire mais elle est plus attirée par les sciences ;
– elle préfère travailler seule ;
– elle maîtrise très bien les outils informatiques.

Quel(s) emploi(s) vous conviendrai(en)t sachant que :
– vous avez fait un stage de 6 mois dans l'édition ;
– vous avez une formation scientifique et littéraire mais vous êtes plus attiré(e) par les lettres ;
– vous aimez travailler en équipe ;
– vous avez des connaissances en informatique.

> Pour réaliser cette tâche, commencez par Lydia et comparez ses compétences au profil recherché dans chaque offre d'emploi. Complétez le tableau au fur et à mesure. Procédez de la même façon pour vous.

Offres d'emploi

1. Éditeur(trice)

Missions
Au sein de l'équipe éditoriale, vous serez en charge de projets complets dans les domaines scolaire, parascolaire ou jeunesse sur tous supports. Vos principales missions consisteront à suivre toute la chaîne éditoriale de A à Z (planning, budget, suivi des intervenants extérieurs, mise au point du manuscrit, suivi de fabrication et de livraison).

Profil recherché
De solide formation littéraire ou scientifique, vous avez une expérience d'au moins 5 ans dans l'édition d'ouvrages parascolaires ou de jeunesse. Vous savez conduire des projets en autonomie. Vous maîtrisez parfaitement les techniques rédactionnelles et les outils bureautiques.

Type de contrat CDI

2. Éditeur(trice)

Missions
Vous coordonnez le travail entre les intervenants extérieurs pour remise à la fabrication. Vous êtes donc chargé de la lecture et de l'envoi du manuscrit traduit au préparateur, de la vérification de la mise en page, de la remise des premières et deuxièmes épreuves à l'éditeur.

Profil recherché
De formation supérieure, vous avez une expérience confirmée de 5 années minimum dans le suivi éditorial en particulier d'ouvrages historiques et vous êtes très à l'aise en anglais. Vous avez de la rigueur, un bon sens de l'organisation et vous aimez travailler avec des gens exigeants et motivés.

Type de contrat CDD

3. Éditeur(trice)

Missions
Vous aurez pour mission l'édition et/ou la refonte d'ouvrages scolaires et éventuellement universitaires et de vulgarisation scientifique.

Profil recherché
Vous avez une solide formation littéraire générale. Vous avez un niveau d'anglais courant et connaissez Word, Xpress et Illustrator. Vous avez travaillé dans l'édition scolaire. Ouvert(e), motivé(e), autonome et diplomate, vous avez une grande capacité de travail, une aisance rédactionnelle avérée, un sens développé du travail en équipe.

Type de contrat CDI

4. Éditeur(trice)

Missions

Rattaché(e) au Responsable Éditorial du département des publications pour l'enseignement technique, vous participez au suivi des projets éditoriaux.

Profil recherché

De formation supérieure (littéraire ou scientifique), vous avez impérativement une première expérience réussie dans l'édition scolaire ou parascolaire. Vous avez de réelles qualités d'organisation et une forte capacité à travailler sur plusieurs projets simultanément seule ou en équipe. En complément, vous êtes assez à l'aise avec les outils informatiques.

Type de contrat CDD 5-6 MOIS

5. Éditeur(trice)

Missions

Au sein de la Rédaction «Droit Social» du Département «Juristes d'Affaires & Experts-Comptables» de l'Editorial, vous serez en charge de la gestion éditoriale pour les collections «Droit médical et hospitalier», «Droit pharmaceutique». Il faudra aussi assurer une veille scientifique.

Profil recherché

Une 1re expérience dans l'édition ou en cabinet d'avocats. Une formation (3e cycle) en droit, et une bonne expertise en droit de la protection sociale/droit médical, hospitalier et pharmaceutique. Des capacités rédactionnelles.

Type de contrat CDD

Source : asfored.org

NB : CDD signifie « contrat à durée déterminée »; CDI signifie « contrat à durée indéterminée ».

● Quelle(s) offre(s) conviendrai(en)t ou ne conviendrai(en)t pas à Lydia et à vous-même?

	Offre d'emploi n° 1		Offre d'emploi n° 2		Offre d'emploi n° 3		Offre d'emploi n° 4		Offre d'emploi n° 5	
	oui	non	oui	non	oui	non	oui	non	oui	non
Lydia										
Vous										

● Citez les éléments du texte qui justifient votre réponse pour Lydia :

....

....

....

....

....

....

....

● Citez les éléments du texte qui justifient votre réponse pour vous :

....

....

● Pour vous, quelle(s) offre(s) emploi choisissez-vous? ....

EXERCICE 4   15 POINTS

Lisez le texte ci-dessous puis répondez aux questions en cochant la bonne réponse ou en écrivant l'information demandée.

l'argot sans frontières des jeunes Européens

« Dans tous les pays, dans toutes les langues, les jeunes s'approprient des expressions et bousculent les langues. Il y a là un effet de génération traditionnel : les jeunes cherchent à se démarquer par la gestuelle, par les vêtements, par leurs discours », explique le linguiste Jean-Pierre Goudaillier.

Un lexique qui se nourrit d'abord de l'anglais, la seule langue suffisamment cool pour parvenir à franchir les frontières. Les producteurs – français – du film *LOL* n'ont ainsi pas eu besoin de traduire l'expression *laughing out loud* (éclater de rire) qui a essaimé dans toute l'Europe *via* Internet.

Mais, dans la plupart des pays, c'est aux marges de la société que les ados se nourrissent pour mieux se distinguer de leurs parents et de leurs milieux. Notamment au Royaume-Uni, où les ados pillent volontiers le langage de leurs concitoyens d'origine jamaïcaine ou caribéenne. « C'est incontestablement la plus grande influence que subit le parler jeune depuis vingt ans », explique Tony Thorne, professeur de linguistique au King's College, relevant que « de 80 à 85 % des termes sont d'origine noire ».

[...]

L'histoire et la sociologie de chaque pays conditionnent le développement des parlers jeunes. En Italie, la force des langues régionales a empêché l'émergence d'un argot spécifique. « La langue correcte est dérivée du toscan, il suffit donc de parler la langue de son village pour être rebelle », explique Giacinto Pizzuti, traducteur spécialisé dans le cinéma. Le film *Gomorra*, dont l'action se déroule autour de Naples, a ainsi été sous-titré dans le reste de l'Italie. En Espagne, les mots des années 1970-1980 sont encore très utilisés, sans être démodés, car il y a eu une véritable explosion de l'argot après la mort de Franco.

[...]

Luc BRONNER, Virginie MALINGRE (au Royaume-Uni), Philippe RIDET (en Italie), Jean-Jacques BOZONNET (en Espagne), Marie DE VERGÈS (en Allemagne), lemonde.fr, 05.06.09

1. Quel est le but du texte ?   *1 point*
❏ Critiquer la façon de parler des adolescents européens.
❏ Décrire les argots parlés par les Européens.
❏ Montrer comment les jeunes inventent une langue propre.

2. Quelle est l'idée essentielle du texte ?   *1 point*
❏ L'argot s'inspire beaucoup du cinéma.
❏ La langue est avant tout une question de génération.
❏ L'argot des jeunes est avant tout un phénomène de mode.

3. Quelle est la langue dont les jeunes s'inspirent ?   *1 point*
❏ Le français.
❏ L'espagnol.
❏ L'anglais.

4. Que font les adolescents pour mieux se distinguer de leurs parents ?   *1 point*
❏ Ils s'approprient le langage de leurs grands-parents.
❏ Ils empruntent aux langues des minorités de leur pays.
❏ Ils imitent le langage des adolescents d'autres pays.

5. Dites si les affirmations suivantes sont vraies ou fausses en cochant la case correspondante et justifiez votre choix.

a) Le langage des adolescents est particulier à l'Europe.   *1,5 point*
❏ Vrai   ❏ Faux

Citez les éléments du texte qui justifient votre réponse : ....

b) L'origine du parler des jeunes est la même dans de nombreux pays.   *1,5 point*
❏ Vrai   ❏ Faux

Citez les éléments du texte qui justifient votre réponse : ....

c) Le langage des jeunes est dépendant de l'histoire du pays.   *1,5 point*
❏ Vrai   ❏ Faux

Citez les éléments du texte qui justifient votre réponse : ....

d) En Italie, les jeunes se révoltent contre l'usage du toscan.   *1,5 point*
❏ Vrai   ❏ Faux

Citez les éléments du texte qui justifient votre réponse : ....

6. Que signifie « essaimé » (dans le 2ᵉ paragraphe) ?   *2 points*

....

7. Que signifie « l'émergence » (dans le 4ᵉ paragraphe) ?   *2 points*

....

8. Quelle est l'attitude de l'auteur de l'article vis-à-vis du parler des adolescents ?   *1 point*
❏ Ironique.   ❏ Critique.   ❏ Compréhensive.

EXERCICE 5   **15 POINTS**

Lisez les textes ci-dessous puis répondez aux questions en cochant la réponse qui convient ou en écrivant l'information demandée.

LA PARITÉ

Incompatibilité de testostérone avec l'exercice délicat du passage de balai à la fin du repas ? Incapacité génétique à presser avec nos gros doigts le programme n° 5 – cycle court, coton et synthétique à 40 degrés, essorage à 1 000 tours par minute – sur la machine à laver ? Ce qui est sûr, c'est que la gent masculine ne devrait pas se sentir très fière face à l'étude que publie l'Ined (Institut National d'Études Démographiques) ce matin. Pour faire court, après des siècles d'évolution marqués par des progrès assez radicaux dans bon nombre de domaines, l'homme fait toujours son Cro-Magnon[1] quand il s'agit des travaux domestiques. Moins il en fait, mieux il se porte. Pire encore, comme le démontre l'Ined, quand l'enfant paraît, les mauvaises habitudes s'accentuent et les inégalités s'accroissent dans le couple. S'il ne fallait retenir qu'un chiffre : en ce début de XXIe siècle, les femmes assurent toujours 80 % des tâches ménagères ! Certes, on pourrait se contenter de sourire et passer à autre chose. Sauf que l'arrivée des enfants a aussi des conséquences évidentes sur la vie professionnelle de nos conjointes. Ce sont elles qui prennent les congés parentaux pour élever les bambins. Elles encore qui sacrifient leur carrière. Comment peut-on s'indigner de l'échec de la parité dans les grandes entreprises ou dans les milieux politiques si l'on est pas capable d'assurer la parité face au balai ? Certes, le tableau n'est pas totalement noir, et les nouvelles générations ont apparemment une idée plus juste de la répartition des tâches à la maison. Il serait grand temps de s'y mettre…

Fabrice ROUSSELOT, *Libération*, 03/12/09

(1) Cro-Magnon : L'homme de Cro-Magnon (site préhistorique de Dordogne en France) a vécu il y a plus de 30 000 ans.

Faire des tâches ménagères n'a rien de dégradant

Je crois qu'il y a une sorte de consensus sur le fait que tâches ménagères = tâches dévalorisantes. Les femmes en font plus, donc il y a une grande injustice, les hommes sont de gros égoïstes, qui exploitent les femmes, et derrière tout ça les femmes sont encore une fois victimes de la domination masculine, etc.

Or, quand on y réfléchit bien, les tâches ménagères ne sont nullement dégradantes en soi. Préparer un repas pour sa famille, en quoi est-ce mauvais et dévalorisant ? Au contraire : la femme ou l'homme qui prépare ce repas a un pouvoir certain du fait qu'elle ou il choisit ce que les autres vont déguster, ce qui est bien pour leur équilibre nutritionnel, etc. Passer l'aspirateur, nettoyer sa maison, c'est certes fastidieux mais ça contribue aussi à rendre son foyer plus sain, plus accueillant, plus habitable. Pour le bénéfice de tout le monde.

En fait, c'est l'ingratitude qui est la plus dévalorisante. Travailler tous les jours pour son foyer sans la moindre reconnaissance voire dans l'indifférence totale, c'est ça qui est dur. Tous les membres d'un foyer devraient reconnaître et remercier leur épouse ou leur maman de tout ce qu'elle leur apporte. Pour beaucoup d'entre elles, cette reconnaissance suffit et leur permettra de surmonter la fatigue due à ces tâches fastidieuses et répétitives de la vie quotidienne.

Source : Kani (réponse à l'article sur la parité)
Libé.fr, 05/12/09

1. Quel est le thème de ces deux documents ? *1 point*

❏ Les difficultés de la vie de couple au XXIe siècle.

❏ Comment concilier la vie familiale et la vie professionnelle.

❏ La répartition des tâches domestiques entre hommes et femmes.

2. Quel est l'objectif du premier document ? *1 point*

❏ Décrire la répartition des tâches domestiques.

❏ Montrer que l'homme a évolué.

❏ Dénoncer le comportement des hommes à l'égard des femmes.

3. Quel est l'objectif du deuxième document ? *1 point*

❏ Dénoncer l'égoïsme de l'homme.

❏ Critiquer le manque de reconnaissance du travail domestique.

❏ Critiquer les tâches domestiques.

4. Selon Fabrice Rousselot, la situation : *1 point*

❏ ne concerne que les tâches domestiques.

❏ reflète une situation générale.

❏ est en train d'évoluer lentement.

5. Dites si les informations suivantes sont vraies ou fausses en cochant la case correspondante et justifiez votre choix.

Selon Fabrice Rousselot :

a) L'attitude des hommes vis-à-vis des tâches domestiques n'a pas changé
depuis des siècles. *1,5 point*

❏ Vrai   ❏ Faux

Citez les éléments du texte qui justifient votre réponse : ....

b) Avec l'arrivée des enfants, les hommes participent plus aux tâches domestiques.   *1,5 point*

❏ Vrai   ❏ Faux

Citez les éléments du texte qui justifient votre réponse : ....

Selon Kani :

a) Préparer un repas n'a rien de dévalorisant. *1,5 point*

❏ Vrai   ❏ Faux

Citez les éléments du texte qui justifient votre réponse : ....

b) Ce qui est dévalorisant, c'est la non-reconnaissance. *1,5 point*

❏ Vrai   ❏ Faux

Citez les éléments du texte qui justifient votre réponse : ....

6. Selon Fabrice Rousselot, les hommes : *1 point*

❏ n'ont pas à rougir des résultats de l'enquête.

❏ devraient avoir honte de ces résultats.

❏ ne sont pas responsables de cette situation.

7. Citez une phrase du texte de Fabrice Rousselot montrant qu'il trouve que cette situation doit évoluer. *2 points*

....

8. Dans le texte de Fabrice Rousselot, quel passage indique qu'inégalité professionnelle et inégalité familiale sont dépendantes ? *2 points*

....

EXERCICE 6   **15 POINTS**

Lisez le texte puis répondez aux questions en cochant la réponse qui convient ou en écrivant l'information demandée. (*Questions 1 à 4 = 1 point chacune ; questions 5 et 6 = 2 points chacune ; question 7 = 1,5 point ; question 8 = 1 point chacune*)

Une Dynamique matrimoniale

Selon l'Institut national d'études démographiques (Ined), 144 716 pacs[1] ont été signés en 2008, dont 136 569 pacs d'hétérosexuels (94 %). De plus en plus d'hommes et de femmes choisissent de se pacser en gardant le mariage comme horizon. C'est une entrée progressive dans la conjugalité. Le pacs, fiançailles modernes ?

Wilfried Rault[2] préfère parler de « mariage à l'essai ». Sociologue à l'Ined, il a consacré sa thèse à ce contrat. Lors de ses enquêtes, il a constaté que pour certains couples pacsés, le mariage restait « un idéal ». Le pacs prend alors une « dimension probatoire[3] ». Non seulement il « ne fait pas d'ombre à un mariage souhaité à plus long terme », mais il peut s'inscrire dans une « dynamique matrimoniale ». Qu'on choisisse le pacs pour des raisons pratiques (l'imposition commune, par exemple) ou qu'on y accorde une valeur symbolique, il permet « de consolider la perception du couple ».

Certains célèbrent leur pacs avec invités et champagne, d'autres signent le protocole en catimini, en jean, avant d'aller au boulot. Paul, ingénieur en environnement, est arrivé à son pacs après une exploration dans une déchetterie « à vélo, suant, sentant la poubelle », se souvient Julie, sa pacsée et aujourd'hui épouse. D'autres se préservent des pressions familiales en maîtrisant leur pacs, concocté de façon intime. Quitte à ne pas inviter la famille. « Quand il y a une célébration pour le pacs, c'est rarement le même public que pour le mariage », note le sociologue.

Beaucoup racontent que le regard social sur leur couple a changé dès qu'ils ont eu la bague au doigt. Julie : « J'avais l'impression qu'on ne prenait pas au sérieux mon pacs. J'étais davantage celle qui a un petit copain. Le pacs n'était pas vu comme un projet de couple. » Aujourd'hui, Julie s'habitue à dire « mon mari », et Paul à parler de « ma femme » ou « mon épouse ». En fait, personne n'aime dire « mon pacsé » ou « ma partenaire de pacs ».

Le pacs est souvent associé à une trajectoire conjugale et le mariage à la constitution d'une famille. Même si 52 % des enfants naissent aujourd'hui hors mariage, certains préfèrent être mariés pour accueillir un bébé. Et partager le même nom de famille.

Tradis, finalement, ces pacsés-mariés ? Ou prudents, tout simplement ? Wilfried Rault l'a remarqué : « Les gens savent qu'on sort d'un pacs plus facilement que d'un mariage, et qu'un mariage sur deux finit en divorce en Ile-de-France. Ils ont conscience que ce n'est pas forcément pour la vie. »

Par Charlotte ROTMAN, *Libération*, 07/09/09

(1) Le Pacte Civil de Solidarité (PACS) a été instauré le 19 novembre 1999 pour permettre aux couples (hétérosexuels ou homosexuels) non mariés d'avoir un véritable statut. Pour se pacser, il faut déclarer conjointement par écrit que l'on veut vivre ensemble au greffe du tribunal d'instance du lieu de résidence de votre couple. Il peut prendre fin par le décès ou le mariage d'un des deux partenaires, ou par la volonté commune sur déclaration conjointe au greffe.

(2) *L'invention du pacs*, Presses de Sciences-Po, février 2009, 25 euros.

(3) Probatoire : qui est une sorte de preuve, ici par la pratique, que la vie commune est possible !

1. Quel est le but de l'auteur de cet article ?

❑ Montrer que le pacs est indispensable.

❑ Faire un bilan du pacs.

❑ Démontrer que le pacs est un effet de mode.

2. À qui est destiné cet article ?

❑ Surtout aux gens mariés.

❑ Uniquement aux pacsés.

❑ À tout public intéressé.

3. Comment se pacser ?

❑ Une déclaration commune est nécessaire.

❑ Un engagement à la mairie est indispensable.

❑ Un simple engagement oral suffit.

4. D'après l'auteur, pourquoi les gens se pacsent-ils ?

❑ Pour se préparer à la vie conjugale.

❑ Pour faire plaisir à leurs parents.

❑ Pour préparer la venue des enfants.

5. Expliquez ce que signifie « le pacs ne fait pas d'ombre à un mariage » (dans le 2e paragraphe).

....

6. Expliquez ce que signifie « D'autres se préservent des pressions familiales » (dans le 3e paragraphe).

....

7. Dites si les informations suivantes sont vraies ou fausses en cochant la case correspondante et justifiez votre choix.

a) L'auteur indique que certains pacsés pensent au mariage comme un idéal.

❑ Vrai   ❑ Faux

Citez les éléments du texte qui justifient votre réponse : ....

b) On célèbre le pacs comme le mariage.

❑ Vrai   ❑ Faux

Citez les éléments du texte qui justifient votre réponse : ....

c) La société ne fait pas de différence actuellement entre les gens pacsés et les gens mariés.

❑ Vrai   ❑ Faux

Citez les éléments du texte qui justifient votre réponse : ....

d) L'arrivée d'un enfant est souvent une raison pour se marier.

❑ Vrai   ❑ Faux

Citez les éléments du texte qui justifient votre réponse : ....

8. Que pense l'auteur des gens qui se pacsent ?

❑ Ils sont traditionnels.

❑ Ils sont originaux.

❑ Ils sont prévoyants.

AUTOÉVALUATION

	Oui	Pas toujours	Pas encore
Je suis maintenant capable de...			
• repérer rapidement une information chiffrée comme une heure, une date, un prix ;			
• sélectionner des informations utiles par rapport à ce que je recherche ;			
• repérer et réunir des informations spécifiques, provenant de différentes parties d'un texte long ou de textes différents ;			
• mettre en relation des informations provenant de sources diverses ;			
• comprendre des textes descriptifs portant sur des événements ;			
• comprendre des textes factuels simples et clairs sur des sujets relatifs à mes centres d'intérêt ou à mon travail ;			
• identifier et saisir les conclusions principales d'un raisonnement ou d'une argumentation dans des textes simples et directs.			
Pour cela, j'ai appris à :			
• identifier le genre et la fonction d'un document ;			
• dégager le thème principal ;			
• déduire le sens général en m'aidant de la structure du texte (titres, sous-titres, paragraphes, signature, etc.) ;			
• identifier les différents points de vue exprimés ;			
• justifier une réponse ;			
• reconnaître les points importants d'une argumentation.			
Je sais aussi :			
•			
•			

PRODUCTION ÉCRITE

Descripteur global

✓ Peut écrire des textes articulés
simplement sur une gamme de sujets
variés dans son domaine en liant une série
d'éléments discrets en une séquence linéaire.

Écriture créative

✓ Peut faire le compte rendu d'expériences
en décrivant ses sentiments et ses réactions
dans un texte simple et articulé.

Essais et rapports

✓ Peut résumer avec une certaine
assurance une source d'informations
factuelles sur des sujets familiers courants
et non courants dans son domaine, en faire
le rapport et donner son opinion.

Interaction écrite générale

✓ Peut apporter de l'information sur des sujets
abstraits et concrets, contrôler l'information,
poser des questions sur un problème
ou l'exposer assez précisément.

pour vous **aider**

➡ NATURE DE L'ÉPREUVE ET SAVOIR-FAIRE REQUIS

Cette épreuve dure 45 minutes et elle est notée sur 25.

On vous demandera d'exprimer une attitude personnelle sur un thème relatif à l'éducation ou au monde professionnel : vous devrez produire un seul texte, construit et cohérent, de 160 à 180 mots (soit environ 15 lignes).

Il faut donc travailler :
– votre capacité à **décrire, raconter, exposer des faits** ;
– votre capacité à **exprimer ce que vous ressentez**, à **décrire vos sentiments et réactions** ainsi qu'à **exprimer votre opinion**.

La tâche proposée pourra prendre la forme :
– d'**un essai**, par exemple, dans le cadre d'un forum sur Internet ;
– d'**une lettre** dans le cadre du courrier des lecteurs ;
– d'un **article de journal**, où vous prendrez position.

➡ ÉVALUATION DE L'ÉPREUVE

Observez maintenant la grille qui sera utilisée pour l'évaluation de votre production.

Il est important de bien la connaître, vous saurez ainsi sur quels critères vous serez évalué :

Respect de la consigne Peut mettre en adéquation sa production avec le sujet proposé. Respecte la consigne de longueur indiquée.	0	0,5	1	1,5	**2**				
Capacité à présenter des faits Peut décrire des faits, des événements ou des expériences.	0	0,5	1	1,5	2	2,5	3	3,5	**4**
Capacité à exprimer sa pensée Peut présenter ses idées, ses sentiments et/ou ses réactions, et donner son opinion.	0	0,5	1	1,5	2	2,5	3	3,5	**4**
Cohérence et cohésion Peut relier une série d'éléments courts, simples et distincts en un discours qui s'enchaîne.	0	0,5	1	1,5	2	2,5	**3**		

Compétence lexicale /orthographe lexicale

Étendue du vocabulaire Possède un vocabulaire suffisant pour s'exprimer sur des sujets courants, si nécessaire à l'aide de périphrases.	0	0,5	1	1,5	**2**
Maîtrise du vocabulaire Montre une bonne maîtrise du vocabulaire élémentaire mais des erreurs sérieuses se produisent encore quand il s'agit d'exprimer une pensée plus complexe.	0	0,5	1	1,5	**2**
Maîtrise de l'orthographe lexicale L'orthographe lexicale, la ponctuation et la mise en page sont assez justes pour être suivies facilement le plus souvent.	0	0,5	1	1,5	**2**

Compétence grammaticale/orthographe grammaticale

Degré d'élaboration des phrases Maîtrise bien la structure de la phrase simple et les phrases complexes les plus courantes.	0	0,5	1	1,5	**2**
Choix des temps et des modes Fait preuve d'un bon contrôle malgré de nettes influences de la langue maternelle.	0	0,5	1	1,5	**2**
Morphosyntaxe – orthographe grammaticale Accord en genre et en nombre, pronoms, marques verbales, etc.	0	0,5	1	1,5	**2**

Ce qu'il faut retenir :

– prenez **le temps de lire la consigne** pour bien comprendre le sujet et rédigez un texte de 160 mots minimum ;

– montrez dans votre production que **vous êtes à la fois capable de raconter une histoire** (un événement que vous avez vécu, un film que vous avez vu, etc.) **et d'exprimer une pensée** (vos sentiments, vos goûts et préférences, votre opinion, vos conseils, etc.). Tous les sujets vous permettront de mettre en valeur ces deux aspects : ne soyez ni uniquement abstrait, ni exclusivement anecdotique ;

– montrez que **vous savez construire un texte** avec différents paragraphes (éventuellement une introduction et une conclusion) et que **vous savez relier vos idées entre elles** en utilisant des mots de liaison et quelques connecteurs logiques ;

– montrez que **vous connaissez l'utilisation des majuscules et de la ponctuation** ;

– évitez de répéter les mêmes expressions tout au long de votre production, montrez que **vous avez un vocabulaire assez large** et que vous utilisez correctement les mots sans vous tromper ni sur leur sens ni sur leur orthographe. Enrichissez vos phrases avec des adjectifs, des adverbes, des propositions relatives ;

– montrez que **vous savez conjuguer les verbes** au présent, au passé (imparfait et passé composé) et au futur. Vous devez aussi connaître les formes les plus courantes du conditionnel et du subjonctif.

➡ CONSEILS DE MÉTHODE

Répondre aux questions posées

Dans les consignes qui vous seront données, un certain nombre de réalisations seront attendues. Vous devez toujours vous poser la question « **Pourquoi dois-je écrire ?** ». Selon les situations décrites dans les consignes, on vous demandera de présenter un problème, de demander un conseil, de raconter un événement, de faire des propositions, de donner votre opinion, de décrire vos sentiments, etc. Il est nécessaire de **prendre le temps de lire le sujet et d'analyser la consigne** (à qui dois-je écrire ? pourquoi ?) car vous serez pénalisé(e) si votre production, même bien écrite, ne correspond pas au sujet attendu.

Faire un brouillon et se relire

L'épreuve dure 45 minutes, vous avez donc le temps de faire un brouillon, avant de rédiger. Ensuite, vous devez prendre le temps de vous relire, afin d'éviter les répétitions, de corriger les erreurs d'inattention, de vérifier que les idées s'enchaînent logiquement, avec des transitions.

Organiser ses idées

Avant de rédiger, vous devez regrouper, au brouillon, les informations et les idées qui vont ensemble. Ensuite, vous devez organiser ces idées et marquer explicitement les relations entre les idées : l'enchaînement doit être clair. Enfin, il faut faire attention à la mise en paragraphes de votre texte, cela le rendra plus facilement lisible. Faites également attention à la ponctuation, qui aide à rendre le texte cohérent.

Choisir le ton adapté

On pourra également vous demander d'écrire une lettre, un message électronique, un petit mot, en réponse à un écrit. Dans ce genre de situation d'interaction écrite, on doit tout d'abord se demander : **à qui dois-je écrire ?** à un ami ? à un professeur ? à des personnes inconnues (sur un forum par exemple) ? En fonction du destinataire, on n'utilisera pas le même ton.

Organiser son temps

Voici une proposition pour organiser le temps imparti pour l'épreuve (45 minutes) :

Lecture et analyse du sujet.	5 minutes
Travail au brouillon : chercher les idées, les regrouper, les organiser.	15 minutes
Rédaction.	20 minutes
Relecture de la production, vérification et correction.	5 minutes

Il ne s'agit que d'un exemple, l'essentiel est de ne pas oublier ces 4 étapes : à vous ensuite d'organiser votre temps comme vous le souhaitez.

Entraînez-vous à compter les mots quand vous écrivez. Vous saurez approximativement quelle est la longueur d'un texte de 80, 100 ou 150 mots en fonction de votre écriture.

1 Mobiliser ses idées et les nourrir d'exemples concrets

Activité 1 : Expériences et réflexions sur l'éducation et le travail

Le but de cette activité est de vous apprendre à vous approprier un sujet. Vous pouvez donc répondre aux questions de cette activité dans votre langue maternelle.

L'éducation

1. On vous demande d'exprimer votre point de vue sur la question suivante : l'éducation doit-elle être obligatoire ?
Pour exprimer votre point de vue, partez de votre expérience personnelle. Concernant l'éducation, vous pouvez vous poser les questions suivantes : Dans votre pays, la loi oblige-t-elle les jeunes à aller à l'école ? Jusqu'à quel âge ? Qu'apprend-on pendant ces années d'études ? D'après vous, ces connaissances sont-elles importantes ? Pourquoi ?

....

....

....

....

2. Maintenant, on vous demande de prendre position dans le débat suivant : êtes-vous pour ou contre les cours par Internet ?

Sur le modèle de l'exercice précédent, partez de votre expérience et notez les questions qui vont vous permettre de traiter concrètement ce thème.

....

....

....

....

Le travail

3. On vous demande de donner des conseils sur la question suivante : comment avoir de bonnes relations avec ses collègues de travail ?

Pour exprimer votre point de vue, partez de votre expérience personnelle. Concernant le milieu professionnel, vous pouvez vous poser les questions suivantes : Partagez-vous votre bureau avec des collègues ? Quelles sont les relations au quotidien ? Dans votre entreprise, y a-t-il des fêtes entre collègues ? Êtes-vous plutôt amical ou distant avec vos collègues ? Pourquoi ?

....

....

....

....

4. Maintenant, on vous demande de donner votre opinion sur la question suivante : faut-il choisir un métier en fonction du revenu qu'il rapporte ?

Partez de votre expérience personnelle et notez les questions qui vont vous permettre de traiter concrètement ce thème.

....

....

....

....

2 Mobiliser le lexique nécessaire à l'expression des idées

Activité 2 : Vocabulaire des études et du travail

1. Pour faire le point sur l'étendue de votre vocabulaire, complétez les listes de mots-clés.

L'éducation

Les degrés de l'enseignement en France
— ....
— le collège
— ....
— .... / les grandes écoles

Les savoirs de base
— savoir apprendre
— savoir lire
— ....
— ....

Les matières
— les langues vivantes : le français, ..., ..., ...
— les sciences : les mathématiques, ..., ..., ...
— ....
— l'histoire, ...
— ....
— ....
— ....

Les personnes et leur rôle
— .... : ils vont en cours pour étudier / apprendre, ...,
.............................., ils obtiennent des diplômes.
— .... : ils donnent les cours, ils transmettent un savoir, ils mettent des notes.
— ...., ... : il dirige un collège, un lycée.
— le conseiller d'orientation : il donne des informations sur les études et sur les métiers pour
aider les jeunes à faire leurs choix.

Le travail

Les secteurs de l'économie
— l'agriculture, la pêche, les mines
— .... automobiles, textiles…
— les services : le transport, le commerce, l'éducation, ...
— le secteur public ≠ le secteur ....

Les personnes

— les travailleurs indépendants
≠ ..../ les employés
— les ..../ les collaborateurs
— les employeurs / ....

La vie en entreprise

— ....
— travailler en équipe
— monter un projet
— ....
— ....
— demander une augmentation de salaire
— ....

Le travail et le salaire

– avoir un travail ≠ ....
– un travail .... ≠ un travail à temps partiel
– un contrat à durée indéterminée (CDI) ≠ .... (..............)
– un emploi .... ≠ un emploi précaire
– avoir un bon salaire ≠ avoir un petit salaire

2. Maintenant, reprenez vos notes de l'activité 1 et, grâce aux listes de l'activité 2, retrouvez les équivalents français des termes que vous avez utilisés dans votre langue maternelle. Vous compléterez cette recherche de vocabulaire en utilisant un dictionnaire bilingue.

L'éducation

Le travail

3 Écrire pour raconter des expériences et exprimer des idées

Activité 3 : L'essai dans le cadre d'un forum sur Internet

Vous participez à un forum sur Internet. Vous lisez le message ci-dessous et répondez pour donner votre opinion sur le sujet (160 à 180 mots).

1. Pour répondre au sujet, vous devez trouver des idées variées et contradictoires.

Pour cela, il est utile de dresser sur votre feuille de brouillon un «tableau à idées» :
– dans la première partie, vous notez les idées «pour » ou, selon le sujet, «les avantages» ;
– dans la deuxième partie, vous notez les idées «contre» ou, selon le sujet, «les inconvénients ».

● Lisez les idées suivantes et recopiez-les dans la colonne du tableau qui convient, page 82.

1. Le travail est une valeur importante dans nos sociétés : il donne un sens à la vie.

2. Les robots libèrent les hommes des tâches pénibles et dangereuses.

3. Dans les pays développés, il y a de moins en moins de personnes qui travaillent car la population vieillit. Donc on a besoin du travail des robots.

4. Certaines professions nécessitent un contact humain.

5. Les robots vont mettre au chômage les personnes les moins diplômées.

6. Les robots ne tombent jamais malades et assurent un service continu, de jour comme de nuit.

Oui, les robots peuvent remplacer les hommes au travail.	Non, les robots ne peuvent pas remplacer les hommes au travail.
....	....
....	....
....	....

2. Il convient ensuite de donner des exemples pour illustrer ou expliquer vos idées : votre texte sera plus convaincant, plus vivant et plus agréable pour le lecteur.

● Lisez les 3 exemples suivants et retrouvez, parmi les 6 idées énoncées dans le tableau, quelle idée chacun illustre.

a. Les ouvriers trouvent de moins en moins de travail à cause des machines-outils. **Idée n°** ....

b. Certains robots permettent de combattre des incendies sans mettre en danger la vie des pompiers. **Idée n°** ....

c. Le Japon investit beaucoup d'argent pour fabriquer des robots capables de s'occuper des personnes âgées ; mais est-ce que ces personnes accepteront d'être soignées par des robots ? **Idée n°** ....

"J'ai commencé à prendre des cours du soir. Je n'ai pas l'intention de rester une poubelle de bureau toute ma vie."

3. Lors de la rédaction, il faut « habiller » vos arguments et mettre en valeur vos idées en utilisant des tournures de présentation.

a) Observez la différence entre ces deux phrases :

n° 1. Les robots vont occuper une place de plus en plus importante dans le monde du travail. (= 16 mots)

n° 2. Il est évident que, dans les années à venir, les robots vont occuper une place de plus en plus importante dans le monde du travail. (= 25 mots)

L'idée exprimée est exactement la même dans les deux phrases, mais elle est bien mieux mise en valeur dans la phrase n° 2, grâce à l'emploi d'une expression de présentation (« Il est évident que ») et d'un indicateur de temps (« dans les années à venir »).

b) Complétez la boîte à outils suivante avec les tournures que vous connaissez.

Boîte à outils : Les tournures de présentation

Pour présenter un fait	Pour introduire un exemple
– De toute évidence,	– ....
–	– À titre d'exemple,
–	– ....
– On observe que (+ indicatif)	– ....
–	– Je pense par exemple à – Je voudrais citer le cas de

4. Lorsque vous organisez votre texte en fonction des différentes idées, il convient d'utiliser des mots qui soulignent sa structure : les termes d'énumération, les connecteurs logiques, les indicateurs de temps. Afin de faire le point sur votre connaissance de ces mots, complétez les boîtes à outils ou répondez aux questions.

a) Voici des termes d'énumération qui marquent la structure du texte. Recopiez-les dans la colonne du tableau qui correspond à leur position dans un texte.

de plus	ensuite
pour conclure	en premier lieu
enfin	en définitive
tout d'abord	pour commencer
en outre	par ailleurs
en somme	avant tout

Boîte à outils : Les termes d'énumération

Au début du texte	Au milieu du texte	À la fin du texte
....	....	....
....	....	....
....	....	....
....	....	....

b) Pour articuler vos idées les unes avec les autres afin de faire progresser votre discours, il convient d'utiliser des connecteurs logiques.

Boîte à outils : Les connecteurs logiques

Pour renforcer l'idée précédente	Pour introduire une idée contradictoire	Pour expliquer les conséquences
En effet,	Mais (en fait)	C'est pourquoi
D'ailleurs,	Pourtant,	Donc
Du reste,	Cependant,	Par conséquent,

● Complétez le texte ci-dessous avec le connecteur qui convient, parmi la liste suivante :

donc – c'est pourquoi – en effet – pourtant

Les robots font parfois peur. ...., certaines personnes pensent que les robots peuvent devenir une menace pour les humains, et qu'il faut .... contrôler leur développement. ...., on constate que beaucoup de robots ont permis de sauver des vies humaines grâce à leur précision. .... il serait dommage de se priver de leur aide.

c) Voici maintenant des indicateurs de temps.

● Recopiez-les dans la colonne du tableau qui leur correspond.

dans les années à venir	par le passé
auparavant	actuellement
autrefois	bientôt
ces derniers temps	à l'avenir
de nos jours	

Boîte à outils : Les indicateurs de temps

Passé	Présent	Futur
....	....	....
....	....	....
....	....	....

5. Vous avez les outils pour organiser et présenter vos idées, illustrées par des exemples, il vous reste maintenant à donner votre opinion. Votre texte sera plus intéressant si vous présentez aussi les idées avec lesquelles vous n'êtes pas d'accord, et si vous expliquez pourquoi votre point de vue est différent.

Boîte à outils : Exprimer son opinion

– À mon avis,

– ....

– Pour ma part, je trouve que (+ indicatif)

– ....

– Je considère que (+ indicatif)

● Complétez la boîte à outils avec les expressions qui permettent de présenter un point de vue ou d'exprimer une opinion.

6. Vous devez aussi être en mesure d'exprimer votre accord ou votre désaccord.

● À vous de compléter la boîte à outils :

Boîte à outils : Exprimer son accord ou son désaccord

Exprimer son accord	Exprimer son désaccord
....	Je ne suis (absolument) pas d'accord avec vous quand vous dites que... (+ indicatif)
Je partage votre point de vue quand vous dites que... (+ indicatif)	....
Vous avez (entièrement) raison d'affirmer que... (+ indicatif)	Je suis désolé(e) de vous contredire, mais...
Je suis pour l'idée de (+ infinitif)	Je suis contre l'idée de (+ infinitif)
Je suis favorable à...	....

7. Voilà, vous avez maintenant les outils pour répondre à Simon !

● Complétez le texte suivant pour donner votre opinion (160 à 180 mots).

Attention, pour l'épreuve du DELF, n'utilisez pas les abréviations que vous voyez parfois sur les forums Internet (comme « lol », « dsl », « mdr », etc.). Écrivez toujours des mots complets.

Bonjour Simon !

Tout d'abord, vous avez entièrement raison d'affirmer que la question du travail des robots va bientôt se poser dans nos sociétés.

Les robots pourront-ils remplacer les hommes ?

> **Introduction :** vous montrez que la question posée est intéressante et d'actualité.

> **Développement :** vous présentez les faits et les idées qui éclairent la question posée en introduction (POUR et CONTRE).

> **Conclusion :** vous donnez votre point de vue personnel sur la question et vous élargissez éventuellement le débat.

● Écrivez le nombre total de mots : ....

Règle de décompte des mots : est considéré comme mot tout ensemble de signes placé entre deux espaces. « c'est-à-dire » = 1 mot ; « un bon sujet » = 3 mots ; « je ne l'ai pas vu depuis avant-hier » = 7 mots.

Comme il s'agit d'une réponse sur un forum Internet, vous n'avez pas besoin d'utiliser une formule de congé ni de signer à la fin de votre message.

Activité 4 : L'article de journal

Vous vous êtes récemment installé(e) en France avec votre famille. À l'occasion de la « Journée internationale de l'éducation » (7 août), vous écrivez un article dans le journal de votre quartier pour donner votre opinion sur le recours aux punitions dans l'éducation : d'après vous, les punitions sont-elles nécessaires, ou bien peut-on éduquer autrement les enfants ? (160 à 180 mots).

La méthode pour réaliser cet exercice est la même que pour écrire un essai sur Internet : vous devez d'abord trouver des idées et des exemples, organiser votre texte, introduire le thème, mettre en valeur vos arguments avant de donner votre opinion.

La différence réside dans la forme du texte : ici, il ne s'agit plus d'une réponse, mais d'un article. Autrement dit, vous ne réagissez pas aux propos d'une personne en particulier, mais vous rédigez spontanément un texte qui s'adresse à tous.

Vous êtes libre de soutenir le point de vue de votre choix : il n'y a pas d'opinion meilleure qu'une autre. Le correcteur du DELF ne va pas vous évaluer en fonction de l'avis que vous défendez, mais en fonction de vos capacités à exprimer un point de vue dans un texte cohérent en français.

1. Commencez par chercher des idées en partant de votre expérience personnelle.

Par exemple :
Avez-vous déjà subi une punition ? ....
Dans quelles circonstances ? ....
Était-ce à l'école ou en famille ? ....
Est-ce que la punition a résolu le problème ? ....

2. Vous pouvez maintenant dresser votre « tableau à idées » :

Oui, les punitions sont nécessaires à l'éducation des enfants.	Non, les punitions sont inutiles pour l'éducation des enfants.
1re idée + exemple :	1re idée + exemple : ....
2e idée + exemple :	2e idée + exemple : ....
3e idée + exemple :	3e idée + exemple : ....

3. Pour évoquer vos souvenirs, vous devez pouvoir utiliser correctement les temps du passé.

● Complétez le texte suivant en conjuguant les verbes entre parenthèses à l'imparfait ou au passé composé.

Quand j' (être) .... petite, mon père m' (emmener) .... souvent avec lui pour aller faire les courses au supermarché. J' (aimer) .... beaucoup l'accompagner dans les magasins : toutes ces lumières, ces couleurs, ces musiques, c' (être) .... à chaque fois comme un spectacle ! Dans cette fête, il n'y (avoir) .... qu'une seule règle : je (devoir) .... toujours donner la main à mon père. Mais un jour, trop occupée à regarder autour de moi, j' (lâcher) .... la main de mon père, et je (se perdre) .... dans les allées du centre commercial. Alors je (se mettre) .... à pleurer. Une gentille dame m' (aider) .... à retrouver mon père. Il (être) .... furieux et très inquiet ! Mais il ne m' (punir) .... pas .... Et moi, je n' (lâcher) .... plus jamais .... la main de mon père pendant nos promenades !

4. Pour dire si une idée – ou bien une action – est bonne ou mauvaise, vous devez connaître les expressions qui permettent de porter un jugement.

● Complétez la boîte à outils suivante avec les tournures que vous connaissez pour exprimer des jugements.

Boîte à outils : Exprimer un jugement positif ou négatif	
Porter un jugement positif	**Porter un jugement négatif**
Je trouve que c'est formidable de (+ infinitif)	J'estime que c'est honteux de (+ infinitif)
Je pense qu'il est très utile de (+ infinitif)	....
....	Je trouve cela anormal que... (+ subjonctif)
J'approuve complètement...	Je désapprouve catégoriquement...
Quelle excellente idée !	....

5. Puisqu'on vous demande de rédiger un article, vous devez choisir un titre.

Le titre doit être court et refléter le contenu de l'article : il vaut donc mieux choisir un titre quand vous avez fini d'écrire le texte de votre article et pas au début.
Ce titre peut prendre par exemple la forme :
– d'une exclamation : « Arrêtons les punitions ! »
– d'une interrogation : « La punition fait-elle partie de l'éducation ? »
– d'une liste chiffrée : « Six bonnes raisons de ne pas punir nos enfants ».
Tous les moyens sont bons pour éveiller la curiosité du lecteur et lui donner envie de lire l'article !

● Écrivez ici votre titre pour cet article : ....

6. Enfin, vous devez indiquer vos prénom et nom à la fin de l'article, en précisant éventuellement votre profession ou votre statut social (réel ou imaginaire) si cela est en relation avec le thème de l'article et peut donner du poids à votre argumentation.

Exemples : « Konrad Bajer, père de famille » ; « Hanissa Bencherif, institutrice » ; « Peter Molvaer, ex-enfant trop souvent puni », etc.

● Écrivez ici votre signature développée pour cet article : ....

7. À vous de jouer maintenant ! Écrivez votre article en respectant la consigne de longueur (160 à 180 mots).

Titre

Auteur

● Écrivez le nombre total de mots : ....

Activité 5 : La lettre au courrier des lecteurs

Vous lisez dans un magazine français ce témoignage d'un jeune diplômé à la recherche d'un premier emploi. Vous écrivez au courrier des lecteurs du magazine pour faire part de vos émotions à la lecture de ce témoignage, pour raconter comment s'est passée votre propre recherche d'emploi, et pour donner des conseils au jeune homme pour son premier entretien (160 à 180 mots).

PREMIERS PAS DANS LA VIE ACTIVE

Parcours du combattant d'un jeune diplômé

Le témoignage de Sylvain Bleu, 24 ans, diplômé de l'École Supérieure de Commerce de Toulouse.

Titulaire d'un Mastère spécialisé en finance, je ne pensais pas que j'aurais des difficultés à trouver un bon travail à la sortie de l'école. Mais la réalité était très différente de mes espoirs ! J'ai fait plusieurs mois de stage dans des banques, mais aucune ne m'a proposé de contrat. Finalement, j'ai commencé à chercher dans un autre secteur. Après de nombreux envois de C.V., une entreprise a retenu ma candidature et j'ai obtenu un premier rendez-vous pour le mois prochain. Mais je me sens très déprimé, j'ai perdu mon assurance, et j'ai l'impression que cet entretien d'embauche ne va pas bien se passer.

Magazine *Avenirs*, août 2010, n° 137.

Dans cet exercice, la consigne vous indique clairement que votre texte doit s'articuler en 3 parties :
– exprimer ses émotions ;
– raconter son expérience (réelle ou imaginaire) ;
– donner des conseils.

1. Pour pouvoir réagir de façon personnelle à un article, vous devez être capable de reconnaître et d'exprimer des émotions.

● Lisez les phrases ci-dessous : expriment-elles l'admiration, l'indignation ou la compassion ? Cochez la bonne case.

	Admiration	Indignation	Compassion
J'ai été très choqué en écoutant l'interview de M. Martin. Ses propos sont absolument scandaleux.			
L'article de Mme Durand sur Virginia Woolf m'a bouleversé. Que de drames dans sa vie !			
Les analyses intelligentes de M. Dupont m'ont impressionné. Bravo à ce journaliste !			
J'ai été enchantée par le concert de la chanteuse Juliette. Sa voix est magnifique !			
Je suis surpris par les déclarations de M. Renard. J'ai la désagréable impression qu'on se moque de nous.			

2. Vous devez aussi évoquer des événements qui sont survenus dans votre vie pour faire écho au témoignage publié dans le magazine. Pour cela, il existe certaines tournures courantes.

● Complétez la boîte à outils suivante avec une tournure que vous connaissez.

Boîte à outils : **Raconter des expériences personnelles**

Dans ma vie, il m'est arrivé de (+ infinitif)
Dans mon métier, ...
Avec les années, j'ai compris que (+ indicatif)
Pendant mes études, ...

Faire part de son expérience, c'est raconter ce qu'on a fait : ce qu'on a réussi, mais aussi ce qu'on a raté. Pour encourager un jeune homme qui a du mal à trouver un travail, il vaut sans doute mieux ne pas trop insister sur ses propres succès ! Il est préférable de parler de quelques échecs pour montrer que l'accès au monde du travail est difficile pour tout le monde. Cependant, il faudrait conclure sur une note positive !

3. Par ailleurs, la consigne vous demande de donner des conseils au jeune homme pour son entretien. Vous devez donc maîtriser quelques expressions pour donner des conseils.

● Complétez la boîte à outils avec les tournures que vous connaissez.

Boîte à outils : **Donner des conseils**

Conseiller de faire	Conseiller de ne pas faire
....	Je vous déconseille de (+ infinitif)
Il faudrait (+ infinitif)	....
Vous devriez (+ infinitif)	Il vaut mieux ne pas (+ infinitif)
....	Évitez de (+ infinitif)
Pensez à (+ infinitif)	N'essayez pas de (+ infinitif)

4. Puisque vous écrivez au courrier des lecteurs, votre texte doit prendre l'aspect d'une lettre. Mais attention, n'oubliez pas que c'est au magazine que vous écrivez : vous ne devez donc pas vous adresser directement au jeune diplômé mais à la rédaction de la publication.

● Observez le modèle :

> **La mise en page d'une lettre en français**

> **Le nom et l'adresse** du destinataire (à reprendre dans le document ou à inventer).

> **Vos prénom et nom** N'écrivez pas « M. », « Mᵐᵉ » ou « Mˡˡᵉ » en parlant de vous-même. **Votre adresse** (réelle ou imaginaire).

Yuhan Li
8, rue de la Comédie
82000 Montauban

Courrier des lecteurs
Magazine Avenirs
27 boulevard Raspail
75007 Paris

> **Le lieu et la date** où vous écrivez votre lettre.

Montauban, le 23 août 2010

> **Référence** à la source de votre information : – le titre de l'article / du dossier / de l'émission, – la date de la publication / de la diffusion. Ces informations se trouvent généralement dans la consigne de l'exercice ou dans le document qui l'accompagne. Dans le cas contraire, vous pouvez les inventer pour donner plus de réalisme à votre lettre.

Mesdames et Messieurs,

Je vous écris après avoir lu le dossier intitulé « Premiers pas dans la vie active » dans votre édition (n°137) de ce mois.

En effet, le témoignage de Sylvain Bleu m'a beaucoup touchée. Quelle tristesse de voir que des jeunes ont du mal à trouver un travail malgré de longues études !

Moi aussi, j'ai eu des difficultés à trouver un premier emploi, car pour les employeurs j'avais tous les défauts : j'étais jeune, sans expérience, et en plus je ne parlais pas encore très bien français à l'époque. Mais on m'a fait confiance, et ma connaissance du chinois est maintenant un vrai avantage.

Voici les conseils que j'ai envie de donner à Sylvain : obtenir un rendez-vous est la preuve qu'une entreprise s'intéresse à lui, il ne faut pas être déprimé ! À sa place, je réfléchirais aux questions qui risquent d'être posées pour préparer quelques réponses, il aura plus d'assurance pendant l'entretien. Mais le plus important, c'est de rester naturel, et de savoir que la jeunesse est une force !

Sincères salutations,

Yuhan Li

> **Formules de politesse :** – en début de lettre : « Bonjour, », « Madame, », « Monsieur, » ; – en fin de lettre : « Bien cordialement, ». La formule de fin peut contenir une demande : « Dans l'attente de votre réponse, je vous prie de recevoir mes meilleures salutations. », « Je vous remercie d'avance de bien vouloir m'envoyer un exemplaire du contrat et je vous adresse mes bien cordiales salutations. »

> **Votre signature**

● Maintenant, à vous d'écrire au courrier des lecteurs pour répondre au témoignage de Sylvain.

● Écrivez le nombre total de mots : ....

Le format des sujets, dans cette partie, correspond exactement à ce qui peut vous être proposé dans l'épreuve du DELF B1 pour la production écrite. Essayez de réaliser chacun des exercices suivants dans le temps de l'examen (45 minutes), en vous chronométrant et en organisant votre temps selon les conseils des pages 75 et 76.

EXERCICE 1   25 POINTS

Vous lisez l'article suivant dans un magazine.

Le **R**etour de la **S**ieste
Par : Olivier Thomas
le Jeudi 28 février 2008

Un petit somme pendant sa pause déjeuner ? Reste à trouver l'endroit, confortable et tranquille. Dans plusieurs quartiers d'affaires en France, ils existent. Des centres de relaxation, tels La Bulle Kenzo et Zenia à Paris ou Emanessens à Lyon, y ont aménagé des espaces dévolus à la sieste. Leur cible : des cadres stressés et fatigués qui cherchent à s'isoler quelques instants du monde extérieur.
[...]
La sieste recommandée dure de vingt à trente minutes. Elle a lieu juste après le repas, en position allongée pour faciliter la récupération musculaire. Aux dires de ses promoteurs, cette coupure permet de recharger les batteries et accroît la concentration et la mémorisation. ▪

Source : www.courriercadres.co

Vous écrivez au courrier des lecteurs du magazine pour expliquer comment la sieste est considérée dans votre pays d'origine, et pour dire si vous êtes pour ou contre la sieste au travail.

Vous écrivez un texte construit et cohérent (160 à 180 mots).

....
....
....
....
....
....
....
....
....
....
....
....
....
....
....
....
....

EXERCICE 2   25 POINTS

Vous êtes parent d'élève. Vous consultez un forum sur Internet et vous lisez le message ci-dessous.

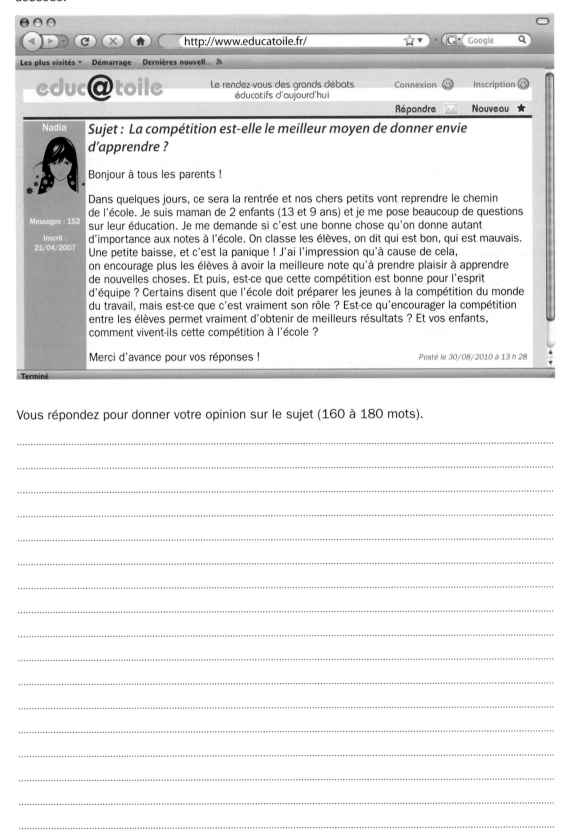

Les plus visités ▾   Démarrage   Dernières nouvell... ≈

educ@toile   Le rendez-vous des grands débats   Connexion ☺   Inscription ☺
éducatifs d'aujourd'hui

Répondre ✉   Nouveau ★

Nadia

Messages : 152

Inscrit :
21/04/2007

Sujet : La compétition est-elle le meilleur moyen de donner envie d'apprendre ?

Bonjour à tous les parents !

Dans quelques jours, ce sera la rentrée et nos chers petits vont reprendre le chemin de l'école. Je suis maman de 2 enfants (13 et 9 ans) et je me pose beaucoup de questions sur leur éducation. Je me demande si c'est une bonne chose qu'on donne autant d'importance aux notes à l'école. On classe les élèves, on dit qui est bon, qui est mauvais. Une petite baisse, et c'est la panique ! J'ai l'impression qu'à cause de cela, on encourage plus les élèves à avoir la meilleure note qu'à prendre plaisir à apprendre de nouvelles choses. Et puis, est-ce que cette compétition est bonne pour l'esprit d'équipe ? Certains disent que l'école doit préparer les jeunes à la compétition du monde du travail, mais est-ce que c'est vraiment son rôle ? Est-ce qu'encourager la compétition entre les élèves permet vraiment d'obtenir de meilleurs résultats ? Et vos enfants, comment vivent-ils cette compétition à l'école ?

Merci d'avance pour vos réponses !   *Posté le 30/08/2010 à 13 h 28*

Terminé

Vous répondez pour donner votre opinion sur le sujet (160 à 180 mots).

....

....

....

....

....

....

....

....

....

....

....

....

....

....

....

....

....

EXERCICE 3   **25 POINTS**

Vous vivez en France et vous faites partie d'une association d'aide aux personnes handicapées.

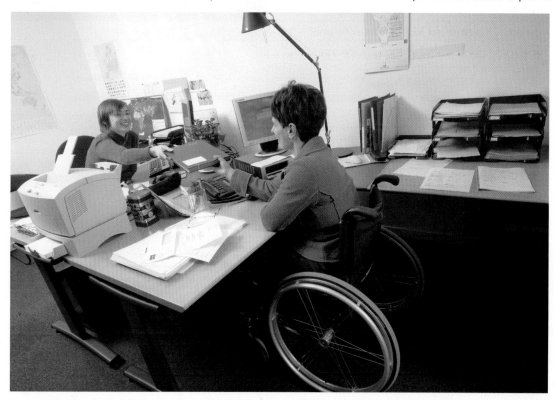

Source : handicap@toulouse-interim.com

Vous rédigez un article pour le journal de l'association où vous décrivez la situation des personnes handicapées dans votre pays d'origine. Vous donnez des raisons pour lesquelles les entreprises devraient embaucher davantage de personnes handicapées (160 à 180 mots).

....

....

....

....

....

....

....

....

....

....

....

....

....

....

....

AUTOÉVALUATION

	Oui	Pas toujours	Pas encore
Je peux maintenant écrire un texte pour :			
● donner simplement mon point de vue dans un débat ;			
● exprimer mon accord ou mon désaccord ;			
● porter un jugement positif ou négatif sur une idée ;			
● exprimer mes émotions ;			
● raconter des souvenirs ou une expérience passée ;			
● donner des conseils.			
Pour cela, j'ai appris à :			
● puiser dans mon expérience personnelle pour trouver des idées ;			
● organiser mes idées ;			
● relier mes idées en un discours qui s'enchaîne ;			
● préparer le minimum de vocabulaire nécessaire pour m'exprimer ;			
● utiliser des mots courants pour dire ce que je souhaite ;			
● rédiger un texte en respectant les normes propres à son genre (essai, article, courrier) ;			
● adopter une mise en page claire ;			
● construire correctement des phrases simples ;			
● construire correctement quelques phrases complexes ;			
● utiliser correctement différents temps (passé, conditionnel, etc.).			
Je sais aussi :			
●			
●			
●			
●			

PRODUCTION ORALE

Descripteur global
✓ Peut assez aisément mener à bien une description directe et non compliquée de sujets variés dans son domaine en la présentant comme une succession linéaire de points.

Monologue suivi : décrire l'expérience
✓ Peut relater en détail ses expériences en décrivant ses sentiments et ses réactions.

✓ Peut décrire un événement, réel ou imaginaire.

Monologue suivi : argumenter
✓ Peut donner brièvement raisons et explications relatives à des opinions, projets et actions.

Interaction orale générale
✓ Peut communiquer avec une certaine assurance sur des sujets familiers habituels ou non en relation avec ses intérêts et son domaine professionnel.

✓ Peut exprimer sa pensée sur un sujet abstrait ou culturel comme un film, des livres, de la musique, etc.

Discussion informelle (entre amis)
✓ Peut commenter brièvement le point de vue d'autrui.

✓ Peut exprimer poliment ses convictions, ses opinions, son accord et son désaccord.

Coopération à visée fonctionnelle
✓ Peut expliquer pourquoi quelque chose pose problème, discuter de la suite à donner, comparer et opposer les solutions.

Obtenir des biens et des services
✓ Peut faire face à la majorité des situations susceptibles de se produire au cours d'un voyage ou en préparant un voyage ou un hébergement ou en traitant avec des autorités à l'étranger.

pour vous **aider**

➡ NATURE DE L'ÉPREUVE ET SAVOIR-FAIRE REQUIS

L'épreuve de production orale dure entre 10 et 15 minutes et elle est notée sur 25.
Elle comporte 3 parties qui s'enchaînent.

Partie 1 : l'entretien dirigé

La première partie est destinée à mettre le candidat en confiance. L'examinateur pose au candidat quelques questions sur lui ou sur elle et sur son environnement familier. L'entretien dure entre 2 et 3 minutes, sans préparation.

Principaux savoir-faire requis :
– parler de son passé, du présent et de l'avenir ;
– donner des informations, justifier, expliquer.

Partie 2 : l'exercice en interaction

Le candidat et l'examinateur improvisent un dialogue à partir d'une situation donnée. Le candidat tire au sort deux sujets et en choisit un seul. Le dialogue dure entre 3 et 4 minutes, sans préparation.

Principaux savoir-faire requis :
– faire face à une situation inhabituelle ;
– comparer et opposer des alternatives, c'est-à-dire faire comprendre ses opinions et ses réactions pour trouver une solution à un problème ou à des questions pratiques.

Partie 3 : le monologue suivi sur l'expression d'un point de vue

Le candidat doit exposer clairement son point de vue à partir d'un bref document écrit (entre 100 et 150 mots). Avant le début de l'épreuve, le candidat tire au sort deux sujets et en choisit un, puis il dispose de 10 minutes de préparation. C'est à la suite de l'entretien dirigé et de l'exercice en interaction que le candidat présente son exposé. L'exposé doit durer 3 minutes. Ensuite l'examinateur pourra poser quelques questions pendant 3 minutes environ.

Principaux savoir-faire requis :
– identifier un sujet de discussion à partir d'un texte déclencheur ;
– donner son opinion et en discuter avec l'examinateur.

➡ ÉVALUATION DE L'ÉPREUVE

1re partie – Entretien dirigé

Peut parler de soi avec une certaine assurance en donnant informations, raisons et explications relatives à ses centres d'intérêt, projets et actions.	0	0,5	1	1,5	**2**
Peut aborder sans préparation un échange sur un sujet familier avec une certaine assurance.	0	0,5	**1**		

2e partie – Exercice en interaction

Peut faire face sans préparation à des situations même un peu inhabituelles de la vie courante (respect de la situation et des codes sociolinguistiques).	0	0,5	**1**		
Peut adapter les actes de parole à la situation.	0	0,5	1	1,5	**2**
Peut répondre aux sollicitations de l'interlocuteur (vérifier et confirmer des informations, commenter le point de vue d'autrui, etc.).	0	0,5	1	1,5	**2**

3e partie – Expression d'un point de vue

Peut présenter d'une manière simple et directe le sujet à développer.	0	0,5	**1**			
Peut présenter et expliquer avec assez de précision les points principaux d'une réflexion personnelle.	0	0,5	1	1,5	2	**2,5**
Peut relier une série d'éléments en un discours assez clair pour être suivi sans difficulté la plupart du temps.	0	0,5	1	**1,5**		

Pour l'ensemble des 3 parties de l'épreuve

Lexique (étendue et maîtrise) Possède un vocabulaire suffisant pour s'exprimer sur des sujets courants, si nécessaire à l'aide de périphrases ; des erreurs sérieuses se produisent encore quand il s'agit d'exprimer une pensée plus complexe.	0	0,5	1	1,5	2	2,5	3	3,5	**4**		
Morphosyntaxe Maîtrise bien la structure de la phrase simple et les phrases complexes les plus courantes. Fait preuve d'un bon contrôle malgré de nettes influences de la langue maternelle.	0	0,5	1	1,5	2	2,5	3	3,5	4	4,5	**5**
Maîtrise du système phonologique Peut s'exprimer sans aide malgré quelques problèmes de formulation et des pauses occasionnelles. La prononciation est claire et intelligible malgré des erreurs ponctuelles.	0	0,5	1	1,5	2	2,5	**3**				

➡ CONSEILS DE MÉTHODE

L'entretien dirigé et l'exercice en interaction sont des dialogues avec l'examinateur. Pour bien mener une discussion, vous devez apprendre à **prendre vous-même l'initiative de la parole**, vous devez **comprendre ce que l'interlocuteur vous dit** et y **réagir** « du tac au tac ».

Pour le monologue suivi sur l'expression d'un point de vue, on vous demande de donner votre opinion à travers un exposé puis en répondant aux questions de l'examinateur. Ce n'est pas toujours facile car le temps de parole en continu est relativement long : trois minutes. Il faut donc prévoir et **préparer** ce que l'on va dire, apprendre à **organiser** et **planifier ses idées**.

Pour la prononciation, faites un effort pour **articuler** et pour parler à voix haute.

N'oubliez pas que vous pouvez **demander à l'examinateur de répéter** si vous ne comprenez pas.

pour vous **entraîner**

1 Se préparer à l'entretien dirigé

Conseils de méthode

Cet entretien a lieu sans temps de préparation, mais il est facile de le réussir car les thèmes en sont prévisibles. En effet, dans cette partie de l'examen, l'examinateur va vous demander de vous présenter et de parler de vos goûts, de vos activités. L'examinateur peut aussi vous poser des questions sur votre passé et sur vos projets futurs. Vous devez montrer que vous êtes capable de répondre à des questions simples avec des phrases complètes. Il faut développer vos réponses, et vous préparer à les justifier.

Pensez que plus longtemps vous garderez la parole, moins l'examinateur vous posera de questions : alors n'hésitez pas à entraîner l'examinateur vers des thèmes sur lesquels vous avez beaucoup à dire !

Activité 1 : Questions-réponses

Katia passe l'entretien dirigé. Elle répond aux questions de l'examinateur, mais ses réponses se sont mélangées !

1. Remettez les réponses de Katia dans l'ordre pour les faire correspondre aux questions de l'examinateur. Notez la lettre de la réponse sous le numéro de la question :

Questions	1	2	3	4	5	6	7	8	9	10	11
Réponses	....	....	....	....	....	....	....	....	....	....	....

1. Pouvez-vous vous présenter ? Comment vous appelez-vous ?

2. Quelle est votre date de naissance ? Où êtes-vous née ?

3. Où habitez-vous ?

4. Quelle est votre situation familiale ?

5. Depuis quand étudiez-vous le français ? Pour quelle raison ?

6. Êtes-vous déjà allée dans un pays francophone ?

9. Que faites-vous dans la vie ?

7. Quels sont vos passe-temps favoris ? Quelles sont vos passions ?

8. Quel est votre film préféré ?

10. Qu'avez-vous fait pendant vos dernières vacances ?

11. Quels sont les projets que vous aimeriez réaliser ?

C. Je suis déjà allée en Belgique, car un de mes cousins habite à Bruxelles. J'aime le français des Belges et j'adore l'architecture de cette ville !

B. Je suis en train de terminer mes études d'économie à l'université d'État de Moscou. Je cherche un stage de fin d'études dans une entreprise française.

A. Je suis mariée et j'ai un bébé de 3 mois qui s'appelle Igor.

E. Je ne vais pas souvent au cinéma, mais je regarde beaucoup de DVD à la maison. Mon film préféré, c'est *Docteur Jivago*, un grand classique américain adapté d'un roman russe...

D. Je suis née le 14 juin 1986 à Perm, en Russie.

F. Je m'appelle Katia Petrunina.

H. J'habite à Moscou, pas loin de la célèbre place Rouge. Comme les loyers sont très élevés, j'habite en colocation avec deux autres couples.

G. J'étudie le français depuis que je suis au lycée. Je pense que c'est une bonne chose de parler français car les échanges commerciaux entre la France et la Russie sont importants.

I. Je suis allée rendre visite à mes grands-parents à Saranpaul, un village dans les montagnes de l'Oural. Là-bas, j'ai fait du ski presque tous les jours !

K. J'aime les arts martiaux : je fais du karaté depuis plus de 10 ans, parfois je participe à des compétitions à l'étranger. Le karaté m'aide à contrôler mes émotions.

J. Après mon stage en France, je voudrais monter un commerce d'import-export de produits de beauté en Russie. Je pense que ma connaissance du français peut être utile dans mon futur métier, car il y a beaucoup d'industries de beauté en France.

2. Maintenant, à votre tour !

● Cachez les réponses de Katia et répondez aux questions de l'examinateur.

Pour vous aider, voici quelques expressions pour parler de vos goûts et de vos activités :

Boîte à outils : Parler de ses goûts

J'aime bien (faire) ≠ Je n'aime pas (faire)   J'adore (faire) ≠ Je déteste (faire)
                                                                            Je ne supporte pas (de faire)

Boîte à outils : Les activités

– faire du sport : faire de la natation, du ski, du vélo   – faire la cuisine ;   – regarder la télévision ;
  jouer au football, au tennis ;   – se promener ;   – aller sur Internet.
– jouer de la musique : jouer du piano, de la guitare ;   – lire ;

Pensez à utiliser des expressions de temps pour préciser vos réponses :

Boîte à outils : Les marqueurs temporels

le passé	**le présent**	**le futur**	**la fréquence**
quand j'étais enfant	ce matin	demain	parfois
il y a 3 ans	aujourd'hui	la semaine prochaine	souvent
l'été dernier	cet après-midi	dans 2 ans	rarement
hier	ce soir		jamais

3. Imaginez maintenant que l'examinateur vous pose les questions suivantes et répondez en complétant les réponses de votre choix :

Quels sont les objets indispensables dans votre vie quotidienne ?

Je ne peux pas vivre sans

..../

J'ai toujours avec moi

....

Pourquoi avez-vous choisi ces études / ce métier ?

Parce que j'aime

..../

Parce que je voudrais

....

Comment imaginez-vous votre vie dans 10 ans ?

Dans 10 ans, je pense que

je serai ..../

J'espère que j'aurai

....

Boîte à outils : Parler de ses projets

Dans quelques années, j'aimerais / je voudrais (faire)...
À la rentrée prochaine, j'ai l'intention de...
J'espère pouvoir bientôt...

Plus tard, je ferai...
Cet été, j'irai...

Activité 2 : À la maison

Pendant l'entretien dirigé, l'examinateur peut vous demander de décrire un lieu familier, votre logement par exemple.

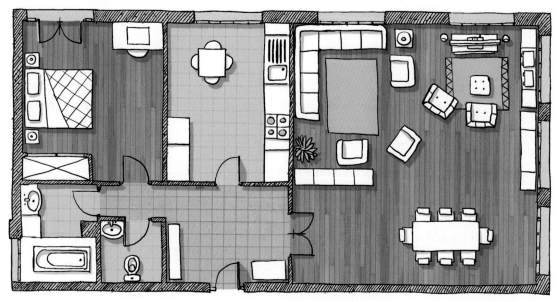

1. Observez le plan de l'appartement p. 102.

2. Complétez le texte de manière à ce qu'il corresponde au plan :

C'est un appartement de deux .... qui est situé au quatrième étage d'un immeuble. Quand on entre, en face, on trouve .... et, à droite, ... qui fait aussi salle à manger. .... est grand et lumineux, il y a un canapé et des fauteuils pour regarder la télévision. À gauche de l'entrée, il y a d'abord ...., puis .... avec une baignoire. En face des ...., il y a .... qui contient un grand lit double et un bureau. Il y a aussi une penderie pour ranger tous les vêtements.

3. Lisez le texte à haute voix en accompagnant votre lecture de gestes, comme pour expliquer la disposition de l'appartement à quelqu'un qui ne verrait pas le plan.

4. Maintenant, dessinez le plan de votre propre logement et décrivez-le à haute voix sur le modèle de l'exercice précédent.

Pour vous aider, voici quelques adjectifs pour caractériser un logement :

Boîte à outils : **Parler de son logement**

grand / spacieux	≠ petit / étroit
lumineux	≠ sombre
calme	≠ animé / bruyant
bon marché	≠ cher
central / bien situé	≠ excentré
moderne	≠ ancien

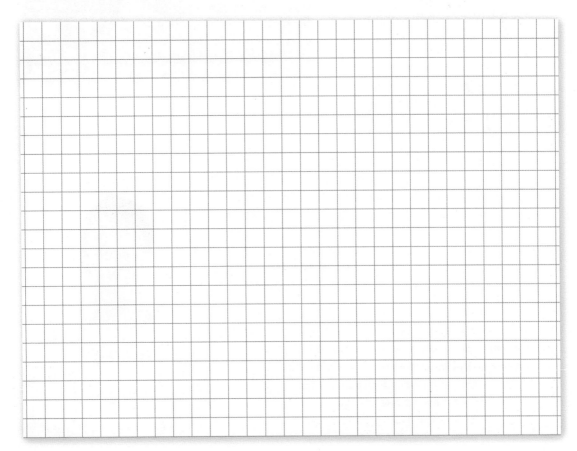

Activité 3 : Côté culture

Pendant l'entretien dirigé, l'examinateur peut aussi vous demander de parler d'un livre ou d'un film que vous avez lu ou vu récemment. Vous devez être capable de faire un petit résumé de l'histoire et de dire pourquoi vous avez aimé ou pas.

Franz a vu le film *Le Hérisson*. Voici ce qu'il dit à l'examinateur :

A. Josiane Balasko est une merveilleuse actrice : elle joue avec beaucoup de naturel le rôle de cette concierge sensible.

B. Le film raconte l'histoire des habitants d'un immeuble bourgeois à Paris. Il y a d'abord Renée, une concierge solitaire et très cultivée, qui cache sa vraie personnalité. Il y ensuite Paloma, une petite fille de 12 ans trop intelligente pour son âge. Il y a enfin Monsieur Ozu, un Japonais qui vient s'installer dans l'immeuble. Ces trois personnages vont apprendre à se connaître et cela va changer leur vie.

C. J'ai beaucoup aimé ce film plein d'émotion. Cette histoire montre que toutes les vies sont intéressantes et que les gens qu'on ne remarque pas méritent plus d'attention.

D. *Le Hérisson* est un film français réalisé par Mona Achache. C'est une comédie adaptée du roman *L'Élégance du hérisson* qui a eu beaucoup de succès. Le film est sorti dans les salles de cinéma en juillet 2009.

1. Franz dit des choses intéressantes, mais ses propos manquent d'organisation. À vous de mettre de l'ordre dans son intervention en notant la lettre qui correspond à chacune de ses interventions :

Plan	Propos de Franz
1. Titre du film, nom du réalisateur, date de sortie en salles	....
2. Résumé de l'histoire / Présentation des personnages	....
3. Jeu des acteurs ou effets spéciaux	....
4. Opinion sur le film	....

2. Maintenant, utilisez ce plan pour parler d'un film que vous avez vu récemment. Pour vous aider, voici quelques expressions pour définir les films et parler de leurs qualités et de leurs défauts.

Boîte à outils :

Les qualités d'un film
– drôle   – juste
– émouvant   – délicat
– original   – intéressant / passionnant
– vivant

Les défauts d'un film
– ennuyeux   – maladroit
– long   – lourd
– froid   – prétentieux
– prévisible

Boîte à outils : **Les genres des films**

un film d'horreur   un film d'animation   un film de science-fiction
un film comique   un film policier   un film d'action
une comédie (sentimentale)   une comédie musicale   un western

....
....
....
....
....

3. Ces qualités et ces défauts peuvent aussi s'appliquer à un livre ou encore à une bande dessinée, qui pourront être présentés selon un plan similaire :

1. titre du livre / de l'album, nom de l'auteur / du dessinateur, date de publication
2. résumé de l'histoire / présentation des personnages
3. style de l'auteur / du dessinateur
4. opinion sur le livre ou l'album

● À vous de présenter un livre ou une bande dessinée que vous aimez.

2 Se préparer à l'exercice en interaction

Dans cette partie de l'examen, vous allez jouer, en duo avec l'examinateur, un rôle qui vous sera attribué dans une situation donnée de la vie quotidienne.
Vous allez tirer au sort deux sujets et choisir celui que vous préférez.
Par exemple, vous jouerez :
– le rôle d'un client (et l'examinateur celui d'un vendeur),
– le rôle d'un employé (et l'examinateur celui d'un directeur),
– le rôle d'un étudiant (et l'examinateur celui d'un professeur),
– le rôle d'une personne particulière (et l'examinateur celui de son meilleur ami),
– etc.

Dans chaque situation, il y aura un petit problème à résoudre, une solution à imaginer pour sortir d'une impasse. Vous devrez montrer que, sans préparation, vous êtes capable d'adapter votre discours à votre interlocuteur, et, selon la situation rencontrée, vous justifier, opposer des arguments, convaincre ou encore rassurer.

Selon la situation et son rôle, l'examinateur pourra se montrer mécontent, énervé ou en colère. Cela fait partie du jeu ! Ne vous laissez pas impressionner, et continuez à défendre votre position.

Activité 4 : Un dialogue pour chaque situation

1. Lisez les quatre situations suivantes :

Situation 1

Vous habitez en colocation avec un ami français. Mais votre ami ne s'occupe jamais de faire les courses ou le ménage, et laisse votre appartement commun en désordre. Vous tentez de le faire changer d'attitude au cours d'une discussion.

(L'examinateur joue le rôle de l'ami.)

Situation 2

En France, vous retirez de l'argent à un distributeur automatique de billets avec votre carte bancaire. Mais vous vous rendez compte que l'appareil vous a donné 10 € de moins que la somme demandée. Vous tentez d'obtenir le remboursement des 10 € auprès de l'employé de l'agence bancaire.

(L'examinateur joue le rôle de l'employé de l'agence bancaire.)

Situation 3

Vous voulez organiser une réunion avec plusieurs collègues pour discuter d'un projet important. Vous avez du mal à trouver une date pour réunir tout le monde. Vous tentez de convaincre un collègue français que vous connaissez bien de déplacer un de ses rendez-vous pour que la réunion puisse avoir lieu.

(L'examinateur joue le rôle du collègue.)

Situation 4

Vous êtes étudiant et vous devez préparer un exposé avec un ami dans une matière difficile. Votre ami est très inquiet : il se demande si vous allez réussir ce travail qui est important pour l'obtention du diplôme. Vous tentez de le rassurer.

(L'examinateur joue le rôle de l'ami.)

2. Maintenant, prenez connaissance des quatre dialogues suivants :

Dialogue A

CANDIDAT : Dis-moi, Jacques, tu sais qu'on doit se voir avec Sarah et Malik pour parler du projet Delta ?

EXAMINATEUR : Oui, mais quand ? Je suis assez occupé en ce moment.

CANDIDAT : Eh bien justement, ça t'embêterait de déplacer ton rendez-vous de mardi après-midi ? C'est le seul moment où toute l'équipe pourrait se réunir.

EXAMINATEUR : Mardi après-midi ? Impossible, j'ai rendez-vous avec Loiseau.

CANDIDAT : Je sais bien, mais tu ne peux vraiment pas le déplacer ?

EXAMINATEUR : Non, je ne peux pas faire ça, c'est notre plus gros client !

CANDIDAT : Et c'est lui qui vient nous rendre visite ici ?

EXAMINATEUR : Oui, en plus.

CANDIDAT : Et tu penses que vous en aurez pour combien de temps ?

EXAMINATEUR : On a prévu 1 h 30.

CANDIDAT : Dans ce cas, on peut se réunir après ton rendez-vous avec Loiseau ?

EXAMINATEUR : Oui, si ça ne dure pas trop longtemps.

CANDIDAT : Non, je pense qu'une heure devrait suffire. Alors, c'est d'accord ? Tu nous appelles après le départ de Loiseau ?

EXAMINATEUR : Entendu.

Dialogue B

CANDIDAT : Alors, il paraît que tu stresses ?

EXAMINATEUR : Ben oui, pas toi ?

CANDIDAT : Non, pourquoi ? C'est un sujet qu'on a choisi ensemble, et qu'on connaît bien.

EXAMINATEUR : Oui, c'est vrai, mais tu sais bien que le prof note très sévèrement.

CANDIDAT : Mais non, c'est des histoires, ça ! Tout va bien se passer, je t'assure.

EXAMINATEUR : Je ne comprends pas comment tu es si sûr de toi !

CANDIDAT : Mais écoute, on a deux mois pour le préparer, cet exposé, il n'y a pas de raison pour que ça se passe mal !

EXAMINATEUR : D'accord, on a deux mois, mais l'exposé ne va pas se faire tout seul.

CANDIDAT : Tu te fais beaucoup trop de souci. Le tout, c'est de s'organiser. On va faire un plan de travail, c'est pas compliqué.

EXAMINATEUR : Oui mais quand même, il va falloir faire beaucoup de recherches…

CANDIDAT : Ne t'inquiète pas : j'ai commencé à regarder, il y a plein de choses sur Internet. On pourra mettre des photos, comme ça l'exposé sera plus vivant.

EXAMINATEUR : Je crois que le prof n'aime pas trop les photos.

CANDIDAT : Mais si ! Il faut bien les choisir, c'est tout.

EXAMINATEUR : Bon, on commence quand ?

Dialogue C

CANDIDAT : Écoute, Michel, ça ne peut plus durer !

EXAMINATEUR : Quoi ? Qu'est-ce qu'il y a ?

CANDIDAT : C'est moi qui fais toujours tout dans la maison : les courses, le ménage, la vaisselle… Tout !

EXAMINATEUR : Oh, tu exagères !

CANDIDAT : Mais tu ne te rends pas compte ! Je dois toujours ranger après toi !

EXAMINATEUR : C'est de ta faute ! Tu ne me laisses pas le temps de le faire !

CANDIDAT : Oh, quelle mauvaise excuse ! Quand j'étais en vacances dans ma famille, tu avais un mois pour ranger, et tu n'as rien fait !

EXAMINATEUR : C'est pas vrai, j'ai passé l'aspirateur !

CANDIDAT : Une seule fois en un mois ! Il faut vraiment que ça change. On va fixer des règles maintenant.

EXAMINATEUR : Des règles ?

CANDIDAT : Oui. Tu préfères faire les courses ou faire la vaisselle ?

EXAMINATEUR : Ni l'un ni l'autre !

CANDIDAT : Ah, il faut choisir !

EXAMINATEUR : Bon, d'accord, je ferai la vaisselle.

CANDIDAT : Attends, ce n'est pas fini ! Tu préfères faire la cuisine ou le ménage ?

EXAMINATEUR : Le ménage, mais pas tous les jours !

Dialogue D

CANDIDAT : Monsieur, je crois que la machine a un problème !

EXAMINATEUR : La machine ? Quelle machine ?

CANDIDAT : Le distributeur automatique de billets, à l'extérieur de l'agence ! Je viens d'utiliser ma carte pour retirer 30 €, et la machine ne m'a donné que 20 € !

EXAMINATEUR : Vous êtes sûr que vous avez assez d'argent sur votre compte ?

CANDIDAT : Mais bien sûr, j'ai reçu mon salaire hier !

EXAMINATEUR : Vous avez pris un ticket ?

CANDIDAT : Non, je n'en prends jamais.

EXAMINATEUR : Dans ce cas, je suis désolé mais je ne peux rien faire pour vous.

CANDIDAT : Mais c'est incroyable, ça ! C'est votre machine qui fait une erreur et c'est moi qui dois donner des preuves ? Ça ne va pas se passer comme ça !

EXAMINATEUR : Calmez-vous, Monsieur.

CANDIDAT : Non, Monsieur, je ne me calmerai pas. C'est du vol ! J'exige qu'on me donne mes 10 € !

EXAMINATEUR : Monsieur, vous comprenez bien que je dois d'abord vérifier ce que vous dites !

CANDIDAT : Bien sûr. Il y a sûrement une solution. Quand est-ce que vous comptez l'argent qui reste dans le distributeur ?

3. Notez à quelle situation se rattache chacun de ces dialogues :

Dialogue A : situation n° ....

Dialogue B : situation n° ....

Dialogue C : situation n° ....

Dialogue D : situation n° ....

4. Notez dans quelles situations on utilise « tu » et « vous » :

On utilise « tu » :

– ....

– ....

– ....

On utilise « vous » :

– ....

5. Pour chaque situation, on attend de vous une action précise, par exemple obtenir que quelqu'un fasse quelque chose pour vous, présenter des excuses, faire une réclamation, etc. Il faut donc être attentif au vocabulaire employé dans la consigne.

Notez ici ce que vous devez faire dans :

– la situation 1 : ....

– la situation 2 : ....

– la situation 3 : ....

– la situation 4 : ....

6. Vous devez connaître quelques expressions pour réaliser les actions que l'on attend de vous. Recopiez sur les fiches ci-dessous les expressions utilisées dans les dialogues pour :

débuter la conversation :

– ....

– ....

– ....

– ....

protester :

– ....

– ....

– ....

faire des reproches :

– ....

– ....

– ....

rassurer :

– ....

– ....

– ....

– ....

– ....

demander un service :

– ....

– ....

– ....

7. Dans ces dialogues, vous pouvez utiliser les tournures de mise en relief pour insister sur certains éléments. Voici quelques-unes de ces structures :

c'est... qui... / c'est... que... / c'est... où... / c'est... dont...

Exemple :

***C'est** votre machine **qui** fait une erreur et **c'est** moi **qui** dois donner des preuves ?* (dialogue D). Ici, la tournure de mise en relief permet d'insister sur le caractère injuste de la situation.

a) Notez ici les phrases où se trouvent d'autres exemples de mise en relief dans les quatre dialogues :

– ....

– ....

– ....

– ....

b) Maintenant, transformez les phrases suivantes en mettant en relief l'élément souligné.

Vous m'avez dit de faire cela. → C'est vous qui m'avez dit de faire cela.

Il est parti sans rien dire. → ....

Elle déteste le sport. → ....

Elle déteste le sport. → ....

Je pars en vacances demain. → ....

Je dois aller là. → ....

Je pense à mes amis. → ....

Activité 5 : Dans le train

Imaginons que vous ayez choisi le sujet suivant :

Situation 5

Vous passez des vacances en France et vous prenez le train pour aller rendre visite à un ami. Le contrôleur vient vérifier votre billet. Vous n'avez pas payé le tarif correct. Vous discutez avec le contrôleur pour ne pas avoir à payer une amende.

(L'examinateur joue le rôle du contrôleur.)

1. Dans cette situation, comment allez-vous vous adresser à l'examinateur ?
❑ tu
❑ vous

2. Dans cette situation, que devez-vous faire ?
❑ donner des conseils
❑ faire des reproches
❑ négocier
❑ présenter des excuses
❑ rassurer
❑ vous justifier

3. Dans ce dialogue, quelles sont les expressions que vous pourriez utiliser ?
❑ Ça ne va pas la tête ?
❑ C'est tout à fait exceptionnel.
❑ Je suis vraiment désolé.
❑ Je le saurai maintenant.
❑ Je vous déteste.
❑ C'est parce que j'étais très pressé.
❑ J'exige que vous me remboursiez.
❑ Et si je payais la différence de prix ?
❑ N'insistez pas.
❑ S'il vous plaît, soyez compréhensif.

4. Trouvez des réponses aux phrases suivantes :

Votre billet n'est pas valable, Monsieur, je vais devoir vous demander de payer une amende.

Vous imaginez si tout le monde faisait comme vous ?

Bon, ça ira pour cette fois.

Activité 6 : Le langage du corps

Pour réussir l'exercice en interaction, vous devez vous montrer réactif et expressif. Vous devez vous efforcer de vous exprimer avec tout votre corps, et pas seulement avec votre bouche. Pour vous aider, voici quelques éléments de la gestuelle des Français.

1. Pour chacune des photos suivantes, cochez la phrase qui exprime le sens du geste.

1.	2.	3.

❑ a. J'ai mal à la tête. ❑ b. Tu réfléchis trop. ❑ c. C'est complètement fou.	❑ a. Ce n'est pas ma faute. ❑ b. Allez-vous-en. ❑ c. J'ai trop mangé.	❑ a. Il ne verra rien. ❑ b. Je n'y crois pas. ❑ c. Tu devrais dormir plus.
4.	5.	6.

❑ a. C'est trop dangereux. ❑ b. J'en ai assez. ❑ c. Tu te crois supérieur?	❑ a. On s'est croisés. ❑ b. Je le jure. ❑ c. J'espère que ça va marcher!	❑ a. Ça ne vaut rien. ❑ b. C'est parfait. ❑ c. C'est précis.

2. Lisez les expressions suivantes et dites à quelle photo chacune correspond :

« Excellent! » :   photo n° ....

« Je n'y suis pour rien! » : photo n° ....

« Je croise les doigts. » : photo n° ....

« Mon œil! » :   photo n° ....

« Ça ne va pas la tête? » : photo n° ....

« Ras-le-bol! » :   photo n° ....

3. Devant un miroir, répétez ces phrases avec l'intonation adéquate, en faisant le geste qui l'accompagne.

3 Se préparer à l'exposé d'un point de vue

Dans cette dernière partie de l'examen, on vous demande de parler en continu pendant 3 minutes environ : vous allez exprimer votre point de vue sur un sujet à partir d'un document. Ensuite, vous discuterez du sujet avec l'examinateur pendant 3 minutes environ.

Vous allez tirer au sort deux sujets et choisir celui que vous préférez.

Vous aurez 10 minutes, en tout début d'épreuve, pour préparer votre intervention.

D'un point de vue méthodologique, cet exercice est très similaire à l'exercice de production écrite consistant à réagir sur un forum Internet ou à écrire une lettre au courrier des lecteurs (p. 81).

Pendant les 10 minutes de préparation, vous ne devez pas rédiger l'ensemble de votre présentation, mais lire attentivement le texte, pour bien comprendre le thème et la position de l'auteur, et dresser un « tableau à idées » pour faire l'inventaire des idées et des exemples qui vous viennent à l'esprit sur ce thème.

Lors de la présentation, parlez d'une voix forte et claire. Ne lisez pas votre brouillon : vous devez regarder l'examinateur dans les yeux, surtout pendant la prise de position et la discussion.

N'hésitez pas à faire répéter l'examinateur, ou à reformuler ce qu'il a dit pour vous assurer que vous avez bien compris. Pour cela, vous pouvez utiliser les tournures suivantes : « Vous dites / pensez que..., c'est bien ça ? », « Autrement dit, d'après vous... ? »

Activité 7 : Un téléphone indiscret

1. Prenez connaissance du document suivant :

Faut-il avoir peur du téléphone qui « Sniff » ?

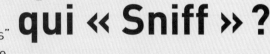

Les téléphones "espions" arrivent en Angleterre. Les Britanniques peuvent, grâce à leur téléphone mobile, savoir où leurs amis se trouvent grâce au système de géolocalisation baptisé Sniff (Social Network Integrated Friend Finder). [...]

Le Sniff permet de localiser sur une carte la position du téléphone portable d'un ami en temps réel et de façon très précise.

Publié le 12 juin 2008 à 17 h 26 par Magénération

Une solution qui permettra, par exemple, aux parents inquiets de savoir où se trouvent leurs enfants à n'importe quel moment.

La vie privée est néanmoins respectée puisque les utilisateurs pourront activer le système ou choisir de rester invisible. Ils seront également avertis lorsque l'on tentera de les localiser. Le système, loin d'effrayer, connaît déjà un fort succès au Danemark et en Suède avec plus de 80 000 utilisateurs. ■

Fabien Navetat
pour le site Magénération

2. Voici quelques questions qui vous permettront de vérifier que vous avez bien compris le document. Cochez la bonne réponse.

a) Qu'est-ce que le Sniff?
❑ Un nouvel appareil électronique créé pour les espions.
❑ Un système qui permet de savoir où sont les gens qu'on connaît.
❑ Un site Internet qui permet de télécharger gratuitement des cartes.

b) Le Sniff vient d'être mis en place en France.
❑ Vrai   ❑ Faux

c) Selon l'auteur, qu'est-ce qui pourrait faire peur dans le Sniff?
❑ Le danger qu'il représente pour la vie privée.
❑ Le danger qu'il représente pour la santé.
❑ Le danger qu'il représente pour l'éducation.

3. Vous pouvez dresser votre « tableau à idées » en réfléchissant aux avantages et aux inconvénients de cette technologie.

Avantages du « Sniff »	Inconvénients du « Sniff »
1re idée + exemple :	1re idée + exemple : ....
2e idée + exemple :	2e idée + exemple : ....
3e idée + exemple :	3e idée + exemple : ....

4. Avant de présenter votre exposé, vous devez organiser les idées précédemment dégagées. Notez brièvement les éléments correspondant au plan qui vous est proposé ci-dessous. Ne rédigez pas de phrases complètes, écrivez seulement les mots-clés qui vous serviront d'appui pour développer votre exposé à l'oral.

➊ Présentation du document.
Vous indiquez la source du document ; le plus souvent, il s'agira d'un article de journal.
Par exemple :
Ce document est un article de journal / une publicité / une lettre de lecteur.
Il est extrait du magazine / journal / site Internet intitulé...

....
....
....
....
....
....
....

❷ Présentation du thème
et éventuellement du point
de vue de l'auteur.
Vous définissez simplement le sujet
dont traite le document, les idées
principales qui apparaissent. Si ce
thème fait l'objet d'un débat, vous
précisez quelle est la position de
l'auteur.
Par exemple :
(Comme son titre l'indique,)
ce document parle de...

....
....
....
....
....
....
....

❸ Prise de position.
Vous donnez votre propre point de
vue sur le thème en question en
vous appuyant sur des exemples
tirés de votre expérience personnelle (*cf.* boîte à outils p. 90). Si
vous en avez l'occasion, comparez la position d'un problème en
France et dans votre pays d'origine.

....
....
....
....
....
....
....

❹ Conclusion
et ouverture de la discussion.
Vous concluez votre intervention et
vous invitez l'examinateur à entrer
dans le débat par une question.
Par exemple :
Pour conclure, je pense que...
Et vous, qu'est-ce que vous
en pensez ?
Est-ce que vous êtes d'accord
avec mon analyse ?

....
....
....
....
....
....
....

5. Ce sujet peut mobiliser du vocabulaire technique (GPS, biométrie, etc.) Si vous ne connaissez
pas certains mots, ce n'est pas grave : vous pouvez expliquer à l'examinateur ce dont vous
parlez sans le nommer grâce à des périphrases.

Par exemple :
– pour le GPS : « Vous savez, c'est le truc avec des cartes qu'on met dans la voiture pour savoir
quelle route prendre... Ça ressemble à un mini ordinateur » ;
– pour la biométrie : « Ça sert à reconnaître les gens grâce à leur voix, la couleur de leur yeux... »

Boîte à outils : **Les périphrases**	
C'est comme...	Ça ressemble à...
Ça sert à...	C'est quand...
C'est une sorte de / une espèce de...	

À votre tour, essayez d'évoquer les expressions suivantes avec des périphrases :

– le blog : ....

....

– la publicité ciblée sur Internet : ....

....

– le droit à l'oubli sur Internet : ....

....

6. Pour finir, voici quelques exemples de questions que l'examinateur pourrait vous poser. Entraînez-vous à y répondre :

> Selon vous, est-il intéressant de savoir tout le temps où se trouvent ses amis ?

> Si vous aviez la possibilité d'utiliser ce système, choisiriez-vous d'être visible ou invisible ? Pourquoi ?

> Pour vous, qu'est-ce qui est le plus important : la sécurité ou la protection de la vie privée ?

Activité 8 : Une vie à l'envers

1. Prenez connaissance du document suivant :

L'étrange histoire de
BENJAMIN BUTTON
Le temps du mélo

DVD

Cette histoire n'est pas seulement « étrange », mais géniale. Un homme naît avec le visage d'un vieillard et rajeunit toute sa vie, jusqu'à mourir bébé. Le temps d'aimer passionnément une femme qui, elle, vieillit « à l'endroit »... Les trucages numériques réussissent le tour de force de faire vieillir ou rajeunir Brad Pitt et Cate Blanchett sans que jamais leur visage actuel ne disparaisse tout à fait. Mais au-delà de la performance technique, le film de David Fincher est un grand mélo romantique. La plus belle histoire d'amour que Hollywood nous ait offerte depuis *Sur la route de Madison*, pas moins. Préparez vos mouchoirs...

Ariel MAUDEHOUS

L'Étrange Histoire de Benjamin Button,
de David Fincher (2009),
Avec Brad Pitt et Cate Blanchett

Madame Figaro, samedi 8 août 2009

2. Lisez les questions suivantes. Cochez la bonne réponse.

a) Quelle est la nature de ce document ?
❏ Une critique de film.
❏ Une publicité.
❏ Une lettre de fan.

b) D'après ce document, que raconte *L'Étrange histoire de Benjamin Button* ?
❏ C'est l'histoire d'un homme qui n'accepte pas le fait de vieillir.
❏ C'est l'histoire d'un homme pour qui le temps se déroule à l'envers.
❏ C'est l'histoire d'un homme qui aime une femme beaucoup plus âgée que lui.

3. Ici c'est le thème qui est important. Même si vous n'avez pas vu le film en question, vous pouvez donner votre opinion sur le sujet : comme le héros du film, aimeriez-vous vivre à l'envers, c'est-à-dire naître vieux et rajeunir ? Quels en seraient les avantages et les inconvénients ?

Complétez votre « tableau à idées » :

Avantages de vivre à l'envers	Inconvénients de vivre une vie à l'envers
1re idée + exemple :	1re idée + exemple : ....
2e idée + exemple :	2e idée + exemple : ....
3e idée + exemple :	3e idée + exemple : ....

4. Maintenant, présentez le document en 3 minutes en respectant le plan :

❶ Présentation du document.

....
....
....
....
....

❷ Présentation du thème et éventuellement du point de vue de l'auteur.

....
....
....
....

❸ Prise de position.

....
....
....
....
....

❹ Conclusion et ouverture de la discussion.

....
....
....
....
....

5. Dans votre présentation, il serait souhaitable d'utiliser des tournures au conditionnel.

Pour vous entraîner, mettez au conditionnel les verbes entre parenthèses dans ce texte :

Si c'était possible de vivre sa vie à l'envers, quel *(être)* .... l'âge le plus intéressant de la vie? À la naissance, on *(savoir)* .... déjà à peu près marcher et parler. On *(être)* .... sans doute moins dépendant qu'un bébé. On *(prendre)* .... plus son temps pour comprendre le monde. On *(devenir)* .... à la fois de plus en plus fort et de plus en plus intelligent. À vingt ans, on *(avoir)* .... beaucoup d'expérience et on *(être)* .... en pleine santé. Mais le problème, c'est qu'on ne *(pouvoir)* .... pas vieillir avec ceux qu'on aime. Le temps nous *(emmener)* .... sur des chemins opposés.

6. Voici quelques questions qu'un examinateur pourrait vous poser sur ce sujet. Entraînez-vous à y répondre :

Activité 9 : L'inégalité des sexes face aux études

1. Prenez connaissance du document suivant :

Les **parents** sont plus **attentifs** à la scolarité des **garçons**

Par Chloé Leprince | Rue89 | 30/10/2007 | 16H20

Bleu ou rose ? Foot ou dessin ? Anglais ou italien ? Les parents s'impliquent différemment dans la scolarité des filles et dans celle des garçons. Même si les filles ont de meilleurs résultats, les parents investissent davantage d'espoir dans le cursus de leur fils.

L'Insee (*) se penche depuis quinze ans sur la question. Et deux études, l'une de 1992, l'autre de 2003, montrent que l'ambition parentale pour les filles n'a pas vraiment gagné du terrain. Les critères ? Pas tant le fait d'avoir (ou pas) le bac : les chiffres, assez proches à partir du collège, placent même les filles en tête. Mais plutôt l'orientation.

Les parents suivent en effet de plus près les devoirs des garçons, et plus encore leur orientation. Et privilégient notamment soit des filières plus élitistes, soit des cursus réputés offrir de meilleurs débouchés, quitte à ce qu'ils soient plus courts. Des « études plus rentables », dit l'enquête Insee.

Source : www.rue89.com

(*) Insee = Institut national de la statistique et des études économiques.

2. Lisez les questions suivantes. Cochez la bonne réponse.

a) Qu'apprend-on dans cet article ?
❑ Les garçons obtiennent en général de meilleures notes que les filles.
❑ Les garçons sont mieux orientés dans leurs études que les filles.
❑ Les garçons sont plus nombreux à être scolarisés que les filles.

b) Qui est responsable de cette situation d'après ce document ?
❑ Les élèves.   ❑ Les professeurs.   ❑ Les parents.

3. Ce document vous invite à réfléchir sur l'inégalité des sexes face aux études en montrant la responsabilité des parents dans le choix de l'orientation. Vous ne pouvez pas y appliquer un plan « Pour » / « Contre », ou encore un plan « Avantages » / « Inconvénients ». En revanche, vous pouvez choisir d'évoquer les autres aspects de l'inégalité entre filles et garçons dans le domaine des études, de manière générale et dans votre pays en particulier, ainsi que les solutions qui pourraient ou qui y sont déjà apportées.

Problèmes constatés (inégalité entre filles et garçons face aux études)	Solutions qui pourraient / y sont déjà apportées
1re idée + exemple :	1re idée + exemple :
2e idée + exemple :	2e idée + exemple :
3e idée + exemple :	3e idée + exemple :

4. Maintenant, présentez le document en 3 minutes en suivant le plan :

❶ Présentation du document.

❷ Présentation du thème et éventuellement du point de vue de l'auteur.

❸ Prise de position.

❹ Conclusion et ouverture de la discussion.

5. Voici quelques questions qu'un examinateur pourrait vous poser sur ce sujet. Entraînez-vous à y répondre :

Dans votre pays, est-ce que les parents encouragent les filles à faire des études pour trouver un bon métier ?

En France, on constate que les filles s'orientent vers les études littéraires, tandis que les garçons font plutôt des études scientifiques. Observe-t-on la même chose dans votre pays ?

D'après vous, l'éducation est-elle un terrain important pour combattre les inégalités entre hommes et femmes ? Pourquoi ?

6. Pendant votre présentation, vous devez éviter de laisser s'installer des silences trop longs entre deux phrases. Il existe des expressions toutes faites pour « remplir les blancs » tout en continuant à réfléchir à ce que vous allez dire :

... heu...

... comment dire...

... alors...

... comment je pourrais dire...

... d'une certaine manière...

... voyons...

Activité 10 : Le stress du travail

1. Prenez connaissance du document suivant :

le **blues** du **Dimanche** soir

Quand arrive le dimanche soir, 50 % des Français ont le blues et passent une mauvaise nuit en songeant à la reprise du lendemain. Voilà ce que révèle une étude du groupe Monster (avril 2008) sur la « phobie du lundi » : 52 % des salariés français souffrent de troubles du sommeil dans la nuit du dimanche au lundi.

Le phénomène n'est pas spécifiquement français, ni même francophone.

Belges, Suisses et Canadiens ne sont pas épargnés. Le phénomène est international. Le mal est même pire aux États-Unis ou en Grande-Bretagne où 70 % des salariés dorment mal le dimanche soir !

En Italie, en Espagne, ce n'est guère mieux : 50 % sont touchés.

C'est dans les pays nordiques – Danemark et Norvège – que le trouble se révèle le moins grave : 20 % « seulement » sont affectés par la phobie du lundi.

[…]

Jean-François DORTIER,
Les Grands Dossiers des Sciences Humaines,
N° 12, page 25, Sept. Oct. Nov. 2008

2. Lisez les questions suivantes. Cochez la bonne réponse.

a) Quel est le problème qui cause « le blues du dimanche soir » ?

❑ L'angoisse à l'idée de commencer une nouvelle semaine de travail.

❑ Les repas trop copieux qu'on fait en famille le dimanche.

❑ Le manque de sommeil dû aux nombreuses activités du week-end.

b) Où observe-t-on ce problème ?

❑ Surtout en France.

❑ En Europe uniquement.

❑ Dans le monde entier.

3. Pour ce sujet qui évoque l'une des conséquences du stress au travail, vous pouvez organiser vos idées selon le schéma « Causes » / « Conséquences » :

Causes du stress au travail	Conséquences du stress au travail (+ solutions éventuelles)
1re idée + exemple :	1re idée + exemple :
2e idée + exemple :	2e idée + exemple :
3e idée + exemple :	3e idée + exemple :

4. Maintenant, présentez le document en 3 minutes en suivant le plan :

1 Présentation du document.

2 Présentation du thème et éventuellement du point de vue de l'auteur.

....

....

....

....

....

....

....

....

....

....

3 Prise de position.

4 Conclusion et ouverture de la discussion.

....

....

....

....

....

....

....

....

....

....

5. Pour finir, voici quelques exemples de questions que l'examinateur pourrait vous poser sur ce sujet. Entraînez-vous à y répondre :

La question du stress au travail est-elle très présente dans votre pays ?

....

....

....

....

Le document parle des troubles du sommeil causé par le stress au travail. Connaissez-vous d'autres problèmes de santé qu'on peut relier au stress du travail ?

....

....

....

....

D'après vous, est-ce qu'on accorde trop d'importance au travail de nos jours ?

....

....

....

....

vers l'épreuve

Les documents proposés dans la partie « vers l'épreuve » correspondent exactement au format de ceux de la production orale du DELF B1. Ils constituent donc un excellent entraînement si vous vous efforcez de les réaliser dans les limites du temps imparti à l'examen (voir p. 98).

EXERCICE 1

Répondez aux questions suivantes :

1. Depuis combien de temps étudiez-vous le français ? Pourquoi avez-vous choisi cette langue ?

2. Décrivez-moi le quartier où vous habitez.

3. Qu'est-ce que vous aimez faire pendant votre temps libre ?

4. Quels sont vos projets pour les prochaines vacances ?

5. Quels sont les 3 objets que vous aimeriez posséder ? Pourquoi ?

6. Parlez-moi d'un film ou d'un livre qui vous a marqué.

7. Racontez-moi quelle est la chose la plus gentille qu'un(e) ami(e) ait faite pour vous.

8. Dans un monde idéal, comment vivrions-nous ?

EXERCICE 2

Choisissez une des deux situations des pages 126 et 127.

Situation 1

Vous vivez en France et avez décidé de passer vos prochaines vacances à l'étranger. À quelques jours de votre départ, vous apprenez qu'il vous faut un visa pour vous rendre dans ce pays. La délivrance du visa prend 2 semaines et vous ne pouvez pas changer les dates de vos billets d'avion. Vous discutez avec l'employé du consulat pour essayer d'obtenir votre visa plus rapidement.
(L'examinateur joue le rôle de l'employé du consulat.)

Voici quelques jalons pour vous aider à vous préparer à ce dialogue :

Trouvez une phrase pour débuter le dialogue.

....
....
....
....
....

Laissez-nous votre passeport. Votre visa sera prêt dans 2 semaines.

Expliquez pourquoi vous ne pouvez pas attendre 2 semaines.

....
....
....
....
....

Et pourquoi vous n'êtes pas venu faire une demande plus tôt ?

Répondez à la question d'après la consigne.

....
....
....
....
....

Pourtant, cette information figure en première page sur le site Internet de l'ambassade !

Présentez vos excuses.

....
....
....
....
....

Situation 2

Votre cousin français va bientôt terminer ses études au lycée et veut devenir acteur. Vous pensez qu'il est très difficile de réussir dans ce métier et vous tentez de le convaincre de choisir une autre profession.

(L'examinateur joue le rôle du cousin.)

Voici quelques jalons pour vous aider à vous préparer à ce dialogue :

Trouvez une phrase pour débuter le dialogue.

Acteur, c'est vraiment génial ! On rencontre plein de gens intéressants et on peut gagner beaucoup d'argent !

Expliquez pourquoi vous avez des doutes sur le choix de cette profession.

C'est sûr que je ne pourrai jamais réussir si je n'essaie même pas !

Trouvez un compromis : expliquez à votre cousin qu'il peut exercer un autre métier sans renoncer à son rêve de devenir acteur.

Vraiment, je ne vois pas du tout quel autre métier je pourrais faire !

Faites-lui des propositions en relation avec sa personnalité.

EXERCICE 3

Choisissez un des deux textes des pages 128 et 129.

1. Vous dégagerez le thème soulevé par le document choisi. Vous présenterez ensuite votre opinion sous la forme d'un court exposé de 3 minutes environ.

2. Vous répondrez aux questions que l'examinateur pourrait vous poser.

Texte 1

Le péage urbain[1] refait son chemin

Après Londres ou Stockholm, devra-t-on bientôt payer pour entrer à Paris, Lyon ou Marseille ? En tout cas, ce sera désormais possible.

Réduire la pollution et les bouchons

Cette proposition de péage urbain reste très encadrée : limitée aux villes de plus de 300 000 habitants (une douzaine en France) qui le souhaitent, elle est soumise à une enquête publique et assortie d'une obligation de proposer « un minimum d'infra-structures[2] de transports en commun ».

Le sénateur UMP des Alpes-Maritimes, Louis Nègre, a défendu ce projet, qui aurait le triple avantage de limiter les embou-teillages en centre-ville, de réduire les émis-sions[3] de gaz à effet de serre et de particules polluantes et de créer une nouvelle res-source pour financer les transports publics.

Anne-Ael Durand pour Metrofrance.com.

1. péage urbain = taxe imposée aux conducteurs de voitures à l'entrée des grandes villes.
2. infrastructures = équipements.
3. émissions = production.

Source : http://www.metrofrance.com/info/le-peage-urbain-refait-son-chemin/mjfq!4WJsEgOSVub9/. 17-06-2010.

● Présentez le document en reprenant le plan détaillé de l'activité 7, pages 113-115.

....
....
....
....

● Pour vous aider à vous préparer à la discussion, voici quelques exemples de questions que l'examinateur pourrait vous poser :

Existe-t-il des péages urbains dans votre pays ?

....
....
....
....
....

Présentez d'autres moyens pour protéger l'environnement.

....
....
....
....
....

Selon vous, le péage urbain est-il un moyen efficace de lutter contre la pollution ?

....
....
....
....
....

Texte 2

Culture : le succès du livre électronique

Info rédaction, publiée le 29 décembre 2009

**Surprise de ce Noël, le livre électronique s'est vendu plus que le livre traditionnel...
Décryptage d'une tendance.**

Pour la première fois depuis son lancement sur Amazon, le lecteur numérique Kindle (exclusivité Amazon) s'est vendu plus que le livre traditionnel, durant la journée du 25 décembre. [...]

Si l'engouement[1] du public s'explique par la maniabilité et le coût moindre du produit, il faut toutefois nuancer ce succès inattendu par quelques explications.

En effet, le Kindle, permettant de lire les livres électroniques, s'est beaucoup offert comme cadeau de Noël le 24, et tout naturellement les heureux destinataires de ce présent se sont empressés de commander des ouvrages pour tester leur nouveau jouet... Le catalogue du Kindle comprend à ce jour 390 000 titres, en très grande majorité en anglais.

L'e-book, futur leader de la vente de livres ? Pas si sûr... Nombre de grands lecteurs préfèrent feuilleter une bonne vieille édition papier... Et vous ?

(1) Engouement : grand intérêt.

Source : www.news-de-stars.com

● Présentez le document en reprenant le plan détaillé étudié dans l'activité 7, pages 114-115.

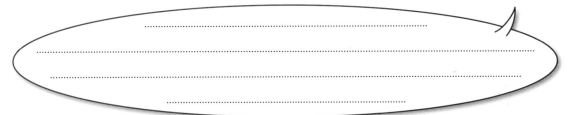

● Pour vous aider à vous préparer à la discussion, voici quelques exemples de questions que l'examinateur pourrait vous poser :

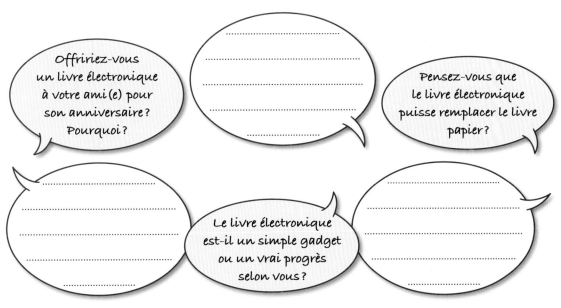

Offririez-vous un livre électronique à votre ami(e) pour son anniversaire ? Pourquoi ?

Pensez-vous que le livre électronique puisse remplacer le livre papier ?

Le livre électronique est-il un simple gadget ou un vrai progrès selon vous ?

AUTOÉVALUATION

	Oui	Pas toujours	Pas encore
Je peux maintenant :			
• parler assez facilement de sujets variés dans mon domaine ;			
• faire une description directe et simple sur des sujets familiers ;			
• raconter mes expériences en décrivant mes sentiments et mes réactions ;			
• exprimer ma pensée sur un sujet abstrait ou culturel (un film, des livres, de la musique, etc.) ;			
• développer suffisamment bien une argumentation pour être compris(e) la plupart du temps ;			
• aborder sans préparation une conversation sur un sujet familier et exprimer des opinions personnelles ;			
• expliquer pourquoi quelque chose pose problème, discuter de ce qu'il faut faire, comparer et opposer les solutions ;			
• me débrouiller dans la plupart des situations.			
Pour cela, j'ai appris à :			
• parler du passé, du présent et de l'avenir ;			
• prendre moi-même l'initiative de la parole ;			
• identifier un sujet de discussion à partir d'un texte ;			
• introduire un sujet, présenter les points principaux, conclure ;			
• relier mes idées en un discours qui s'enchaîne ;			
• utiliser des gestes ou des mimiques à l'appui de mon discours ;			
• paraphraser lorsque je ne connais pas le mot ;			
• utiliser des expressions courantes qui me permettront de gagner du temps pour réfléchir ;			
• faire reformuler lorsque je ne suis pas sûr(e) d'avoir bien compris.			
Je sais aussi :			
•			
•			
•			
•			

La **France,** c'est…

Le domaine personnel

Toutes les réponses sont données dans les pages suivantes. Cochez *vrai* ou *faux*.

	VRAI	FAUX
1. Enzo est actuellement le prénom le plus souvent donné aux petits garçons.		
2. Les prénoms doivent être choisis parmi ceux des saints fêtés dans le calendrier.		
3. Les séries télévisées américaines ont eu une influence sur les choix des prénoms en France.		
4. La mode est actuellement aux prénoms composés.		
5. Les prénoms ont tendance à raccourcir à cause de l'allongement des noms de famille.		
6. Il est déconseillé de donner un prénom humain à son chien.		
7. On mange du beurre surtout dans le Sud de la France.		
8. Les habitants du Nord de la France ont une alimentation plus équilibrée que ceux du Sud.		
9. Les hommes consomment plus de viande que les femmes.		
10. Les jeunes adultes passent autant de temps à faire la cuisine que les personnes âgées.		
11. Le petit-déjeuner est un repas important pour toutes les générations.		
12. En France, les dîners entre amis ont aujourd'hui un caractère moins formel qu'auparavant.		
13. La consommation des fruits exotiques s'est développée avec la génération qui a connu l'apparition du réfrigérateur.		
14. Les Français passent la majeure partie de leur temps libre devant la télévision.		
15. Les Français passent plus de temps à lire qu'à écouter de la musique au quotidien.		
16. Actuellement, les Français achètent plus de DVD que de livres.		
17. En moyenne, les ménages français possèdent plus de 150 livres.		
18. Le volley-ball est l'un des trois sports les plus pratiqués en France.		
19. Le Home déco consiste à créer soi-même des meubles pour sa maison.		
20. Les Français acceptent moins facilement qu'avant de travailler gratuitement pour une association.		

① LES TENDANCES DES PRÉNOMS

Contrairement au nom de famille qui est porté par l'ensemble des frères et sœurs, le prénom est personnel. C'est pourquoi les parents le choisissent avec beaucoup de soin.

En France, jusqu'en 1966, il était obligatoire de choisir un prénom tiré des différents calendriers ou porté par un personnage historique. Les officiers d'état civil, c'est-à-dire les agents chargés de constater les naissances dans les mairies, devaient refuser les prénoms qui ne respectaient pas ces règles. Depuis, le répertoire des prénoms possibles s'est beaucoup élargi : de nos jours, les parents sont libres de donner à peu près n'importe quel prénom à leur enfant, sauf si ce prénom peut être considéré comme contraire à l'intérêt de l'enfant, en particulier lorsque que la combinaison du prénom et du nom de famille produit un effet de ridicule comme dans « Jean Bon » (= jambon). Ces combinaisons à effet comique sont d'ailleurs une source inépuisable de plaisanteries.

J'AI LU

A. Nonyme

Monsieur et Madame ont un fils

• • •

Monsieur et Madame **Ponsable du Matos** ont la joie de vous annoncer la naissance de leur fille **Thérèse**. Monsieur et Madame **Atrovite** ont la joie de vous annoncer la naissance de leur fils **Yves**. Monsieur et Madame **Rajarivejeubracadroite** ont la joie de vous annoncer la naissance de leur fille **Sylvie**. Monsieur et Madame **Marolex** ont la joie de vous annoncer la naissance de leur fille **Eléonore**. Monsieur et Madame **Sontraqueteur** ont la joie de vous annoncer la naissance de leur fils **Igor**

• • •

Quels sont les prénoms les plus donnés en France ?

Actuellement, du côté des petites filles, Emma occupe la première place du podium, suivie de près par Léa. En troisième position, Clara devance désormais Chloé qui remportait la palme de la popularité dans les années 1990-2000. On note que la terminaison en « a » a nettement la préférence des parents, de même que les prénoms d'inspiration italienne, se terminant par « o », ont pu connaître un grand succès du côté des petits garçons. Cependant, si Enzo se maintient à la deuxième place, c'est maintenant Lucas qui s'installe en tête de classement. Mattéo, Théo et Léo connaissent une chute spectaculaire, en deçà de la dixième position, tandis que Nathan gagne la troisième place du podium.

Les prénoms bibliques avec une terminaison en « el » séduisent aussi beaucoup les parents : Gabriel et Raphaël font ainsi partie des 10 prénoms les plus donnés en 2010.

Les prénoms empruntés aux personnages de séries américaines — tels Joey, Phoebe ou Kelly — très à la mode dans les classes populaires à la fin des années 1990, connaissent un léger recul en faveur des prénoms régionaux, notamment bretons : les Maëlle, Erwan et Lohan sont de plus en plus nombreux. Les prénoms empruntés au Moyen-Âge connaissent aussi un très vif succès : de nos jours, on ne compte plus les Clovis, les Perceval et les petites Aliénor ! Plus proches de nous, les prénoms du début du 20e siècle connaissent une nouvelle gloire : les Rose, Abel, Jules et Léon témoignent de cette mode rétro[1]. ▶

Enfin, les parents les plus audacieux n'hésitent pas à croiser deux prénoms existants pour créer un nouveau prénom original pour leur bébé : Maxime et Alexandre donnent ainsi naissance à Maxendre, tandis que Léa et Anne se contractent en Léane.

Si les prénoms croisés sont à la mode, les prénoms composés – comme Jean-Patrick et Marie-France – se font plus rares. En effet, globalement, la tendance est aux prénoms courts, d'une ou deux syllabes. Les prénoms raccour-cissent sans doute parce que les noms de famille, eux, ont tendance à devenir de plus en plus longs : depuis 2002, la loi permet aux parents de transmettre chacun leur nom de famille à leur enfant ; c'est ce qu'on appelle le « double nom ».

(1) rétro : qui appartient au passé

Pour en savoir davantage, lire *L'Officiel des prénoms 2010*, Stéphanie Rapoport, First Éditions, Paris 2009.

Les Français sont très attachés à leurs animaux de compagnie, qui sont souvent considérés comme des membres de la famille à part entière. Voici les conseils qu'on peut trouver sur Internet :

Un nom pour mon chien

Savoir choisir le prénom de son animal, les règles à connaître,
18 janvier 2010 Stéphanie Kaz

Donner un nom à son nouveau compagnon ne doit pas seulement être le fait de l'inspiration. Ce nom doit répondre à quelques exigences de base, en voici quelques-unes.

Ça y est, vous avez choisi votre chien. Pur race ou croisé, teckel ou lévrier, aujourd'hui vous allez devoir lui choisir un nom. Mais savez-vous qu'il vaut mieux suivre certaines règles de base, pour que votre choix s'avère judicieux ? Voici donc quelques petits conseils.

Généralités :

▸ Le nom que vous choisirez pour votre animal devra toujours être assez court, une à deux syllabes dans l'idéal, pour être vite assimilé par votre chien. En effet un nom trop long risque de ne pas avoir l'impact voulu, car il ne « claquera » pas assez aux oreilles de votre compagnon (Rex sonnera toujours mieux lors d'un ordre que Rexinodelo !).

▸ N'oubliez pas non plus que c'est un mot que vous aurez à répéter de nombreuses fois dans la journée. Alors évitez les noms aux prononciations trop difficiles. Si vous-même vous emmêlez lorsque vous le prononcez, qu'en sera-t-il pour votre animal !

▸ Essayez toujours d'être imaginatif pour éviter que votre chien ne soit le 4ᵉ « Mirza » du quartier. Sinon, pas facile pour lui de s'y retrouver lorsque les autres maîtres interpelleront leur chien. Pour la même raison, évitez les prénoms humains, sous peine de voir le fils ou le grand-père de votre voisin se retourner, outré, quand vous demanderez à votre « Gaston » de faire ses besoins !

▸ Pas non plus de noms qui ressemblent à un ordre à apprendre : Lassie/assis, Zeste/reste, Izzy/ici... à moins de vouloir rendre l'apprentissage particulièrement difficile !

http://chiens.suite101.fr/article.cfm/quel_nom_pour_
mon_chien_quelques_conseils

❷ DANS L'ASSIETTE DES FRANÇAIS

Les habitudes alimentaires des Français présentent une grande diversité pour différentes raisons.

Les traditions régionales

On consomme plus de beurre et de pommes de terre dans le nord, et plus d'huile — d'olive, notamment — de fruits et de légumes dans le sud de la France. Les apports en nutriments, vitamines et minéraux ne sont donc pas identiques dans l'ensemble du pays : les régions du Sud sont caractérisées par un bon équilibre nutritionnel, tandis que les régions du Nord sont les plus touchées par l'obésité[1].

Les hommes et les femmes, des goûts différents

En outre, le contenu de l'assiette varie en fonction du sexe : les femmes consomment plus de poisson, de fruits frais, de produits laitiers et de pâtisseries, tandis que les hommes mangent davantage de viande, de charcuterie, de fruits secs, et boivent plus d'alcool. Les hommes connaissent plus de problèmes de surpoids que les femmes, mais l'obésité touche de la même manière les deux sexes (11,6 % de la population adulte).

Globalement, l'alimentation des Français s'est pourtant améliorée depuis une dizaine d'années : on constate une diminution de la consommation d'alcool et de sel, et parallèlement une augmentation de la consommation de fruits.

Des préférences selon les générations

Les habitudes alimentaires varient également en fonction de l'âge : les Français les plus âgés passent plus de temps à faire la cuisine que les jeunes générations qui préfèrent consommer des produits transformés. Dans une société qui accorde une grande importance aux loisirs, les étudiants et les célibataires font le choix des plats « tout prêts » qui les dispensent en outre des corvées de lavage et d'épluchage des légumes. Salades en sachet, plats en sauce surgelés, tout est bon pour gagner de précieuses minutes de liberté.

Les temps de préparation des repas sont ainsi écourtés, et parfois c'est le repas lui-même qu'on supprime : les nouvelles générations font ainsi souvent l'économie du petit-déjeuner.

Un moment convivial

Cependant, le repas reste pour les Français le symbole d'un moment de partage et de discussion : on aime déjeuner et dîner en famille, entre amis, ou, à défaut, entre collègues.

Mais le cérémonial du dîner s'est nettement simplifié. On ne met plus les petits plats dans les grands, et on ne dîne plus systématiquement assis autour d'une table. Les plateaux-repas devant la télévision et les buffets libres où chacun se sert en fonction de son appétit sont des formules de plus en plus couramment adoptées, même pour recevoir des amis.

(1) obésité : excès de masse grasse entraînant des inconvénients pour la santé.

Pour en savoir davantage, lire l'*Étude individuelle nationale des consommations alimentaires 2006-2007*, Agence française de sécurité sanitaire des aliments, dossier de presse, 9 juillet 2009.

Voici une petite étude publiée sur le site www.la-cuisine-collective.fr, qui présente les habitudes de consommation alimentaire des Français en fonction des générations :

DES COMPORTEMENTS ALIMENTAIRES LIÉS AUX GÉNÉRATIONS

Génération « privations »
(1907-1916)

Ils ont eu 25 ans entre 1932 et 1941, période de crise (le krach boursier) et de guerre. Caractéristique de leur comportement : la consommation de pommes de terre. Ayant connu les guerres et les privations, ils lui restent très fidèles. Cette préférence est également liée à la présence de la pomme de terre et d'autres féculents dans les potagers d'autrefois, et donc à un savoir culinaire plus important sur cet aliment.

Génération « rationnement »
(1917-1926)

Ils ont eu 25 ans entre 1942 et 1951, période de rationnement alimentaire. Leurs comportements sont assez proches de ceux de la génération « privations ».

Génération « réfrigérateur »
(1927-1936)

Ils ont eu 25 ans entre 1952 et 1961, c'est-à-dire au moment où le réfrigérateur est apparu. En permettant une meilleure conservation des aliments, cet appareil va changer les comportements alimentaires.

Génération « robot ménager »
(1937-1946)

Ils ont eu 25 ans entre 1962 et 1971 et ont connu une révolution dans la préparation des repas : l'apparition du robot électrique, qui permet un gain de temps considérable et va contribuer à diminuer le temps de préparation des repas. C'est aussi avec cette génération que va se développer la consommation de produits exotiques.

Génération « hypermarchés »
(1947-1956)

Ils ont eu 25 ans entre 1972 et 1981, époque du développement des hypermarchés. Cette génération les fréquente volontiers. La durée de préparation des repas se met à diminuer.

Génération « aliments services »
(1957-1966)

Ils ont eu 25 ans entre 1982 et 1991. C'est à cette période qu'ils ont pris l'habitude de consommer des plats achetés tout prêts, préférant consacrer leur temps libre à d'autres activités que la préparation des repas.

Génération « hard discount »
(1967-1976)

Ils ont eu 25 ans entre 1992 et 2001. Délaissant les hypermarchés, de plus en plus infidèles aux marques, ces consommateurs, fortement attachés au rapport qualité-prix, se tournent vers le hard discount. Dans cette génération, qui marque une rupture dans le respect des horaires de repas, 25 % des individus de 30 ans ne dînent pas à heure fixe. Alors que dans la génération précédente, au même âge, 20 % seulement dînaient à heures variables.

http://www.la-cuisine-collective.fr/dossier/cerin/articles.asp?id=112

❸ LES FRANÇAIS ET LEUR TEMPS LIBRE

Avec la mise en place de la limitation de la semaine de travail à 35 heures en l'an 2000, les Français ont de plus en plus de temps à consacrer à leurs loisirs. Quelles sont donc les activités qui occupent leur temps libre ?

Les médias

Le grand bouleversement de ces 10 dernières années, c'est l'arrivée d'Internet dans les foyers. Les Français passent ainsi en moyenne chaque jour 2 h 17 à surfer sur le Web, soit à peine 50 minutes de moins que le temps qu'ils consacrent à regarder la télévision. Quant à la radio, elle arrive en 3e position des loisirs des Français avec une écoute quotidienne d'une durée moyenne d'1 h 20, ce qui la place devant la musique qui n'arrive qu'en 5e position avec 54 minutes d'attention quotidiennes.

La famille et les proches

Le temps consacré aux amis et à la famille représente un peu moins d'une heure par jour, ce qui classe les activités sociales en 4e position du classement.

Lecture, musique et cinéma

Et la lecture ? Les Français lisent un peu plus d'une demi-heure par jour, soit six fois moins de temps que ce qu'ils passent devant leur téléviseur.

Peut-on en conclure que les Français boudent la lecture ? Non, car le livre est le bien culturel le plus fréquemment acheté au cours d'une année : 88 % des Français déclarent en avoir acheté un exemplaire au cours des 12 derniers mois, ce qui place le livre loin devant le DVD (75 %), le CD (69 %) et le jeu vidéo pour console (34 %). 39 % des foyers déclarent posséder plus de 100 livres dans leur bibliothèque (la moyenne étant de 156 livres par foyer). Pour ce qui concerne les CD, 23 % des foyers déclarent en posséder plus de 100 (avec une moyenne à 85 unités), et, quant aux DVD, 12 % des ménages déclarent en posséder plus de 100 (la moyenne étant à 54 DVD par foyer).

Autres loisirs

L'allongement du temps libre permet aussi à 40 % des Français de s'adonner à leur passion des loisirs créatifs (tricot, couture, décoration florale, etc.). Ce sont généralement des femmes de 25 à 55 ans qui pratiquent ces activités. D'autres préfèrent s'orienter vers la vie associative et le bénévolat.

Enfin, 44 % des Français pratiquent un sport au moins une fois par semaine. Les sports les plus pratiqués en France sont le football, le tennis et l'équitation.

Pour en savoir davantage, lire *Les Français et l'entertainment*, Institut Gfk, octobre-novembre 2008.

La mode des loisirs créatifs montre que les Français attachent de l'importance aux objets « faits maison », en particulier lorsqu'il s'agit de décorer leur logement :

Tendance
LE HOME DÉCO

Depuis plusieurs mois, on n'entend parler que de lui dans les ateliers de loisirs créatifs et même dans les magazines féminins ! Mais qu'est-ce que cette nouvelle activité ?

Définition Le Home déco est une nouvelle discipline manuelle qui consiste à créer des tableaux pour la maison. Mais attention, ce ne sont pas de simples toiles. Il s'agit plus exactement d'objets-tableaux réalisés sur des châssis entoilés grâce aux techniques habituelles des loisirs créatifs. Ainsi, on peut coller du tissu, du papier façon scrapbooking[1], peindre, user de tampons et autres embossages [2], motifs en 3D, pâte Fimo[3]... Tous les délires sont permis pour inventer une œuvre originale qui trouvera sa place dans votre salon. C'est une activité facile et rapide, ce qui explique sans doute son succès aujourd'hui. Comme la customisation[4] pour les vêtements, le Home déco permet de créer une décoration très personnelle ! [...]

Pour toutes les bourses Le Home déco a l'avantage d'être un loisir peu onéreux... à condition d'opter pour des créations simples et de tailles raisonnables bien sûr ! Dans ce cas-là, le matériel de base est assez limité : des toiles, de la peinture, des rouleaux à gouache pour le fond, des pinceaux, de la colle, du calque et un crayon pour les dessins. Ce qui est malin dans cette activité c'est que, comme pour la customisation, vous pouvez personnaliser votre œuvre grâce à la récup' : rubans, boutons, chutes de tissu, papier cadeau, photos découpées...

(1) scrapbooking : art de mettre en scène des photos dans des albums aux cadres décorés.
(2) embossage : technique pour créer des formes en relief dans du papier.
(3) pâte Fimo : marque de pâte à modeler et à cuire.
(4) customisation : création d'un produit personnalisé à partir d'un produit standard.

Gaëlle Saint-Louis-Augustin, *France-Soir*,
13 octobre 2008

Les Français sont de plus en plus nombreux à offrir leur temps libre aux associations pour améliorer la vie en collectivité :

La vie associative en France :
UN BÉNÉVOLAT EN AUGMENTATION

Contrairement à une idée reçue, le bénévolat est une valeur en hausse dans notre société. En 2002, l'Insee repérait onze millions de bénévoles actifs dans notre pays. Trois ans plus tard, le Centre national de la recherche scientifique en comptait 14 millions, équivalant à 935 000 ETP[1]. En moyenne, il y a plus de bénévoles dans les associations employeurs que dans les associations sans salariés. 920 000 associations uniquement composées de bénévoles mobilisent 76 % du volume total.

Ajoutons enfin que les secteurs sport, action humanitaire et « défense des causes » sont les plus consommateurs de bénévolat.

(1) ETP : équivalent temps plein (mesure d'une capacité de travail)

Extrait du guide proposé sur le site de la MAIF et réalisé en partenariat avec la SCOP la Navette : http://www.maif.fr/associations/guides-de-fonctionnement/vie-associative/vie-associative-benevolat.html

Le domaine éducationnel

QUIZ Toutes les réponses sont données dans les pages suivantes. Cochez *vrai* ou *faux*.

	VRAI	FAUX
1. Les étudiants qui témoignent sont plutôt satisfaits de leur séjour en France.		
2. La France fait partie des trois premiers pays que les étudiants étrangers choisissent pour leurs études.		
3. Les étudiants s'inscrivent en majorité dans les écoles spécialisées.		
4. Ce sont les sciences humaines qui intéressent le plus les étudiants étrangers.		
5. Les frais de scolarité dans les universités françaises sont aussi élevés que dans d'autres pays.		
6. Les conditions d'accès à l'université sont les mêmes pour les étudiants étrangers que pour les étudiants français (à part l'évaluation de leur niveau en français).		
7. Les étudiants viennent en majorité en France pour continuer leurs études à un niveau élevé.		
8. La plupart des étudiants viennent grâce au système d'échanges.		
9. Parmi les témoignages, Fredrik a trouvé que le système français avait évolué.		
10. À l'université, les cours sont toujours organisés en petits groupes.		
11. À l'université, la présence des étudiants aux cours est toujours contrôlée.		
12. À l'université, les connaissances des étudiants sont évaluées une fois par an.		
13. Dans les grandes écoles, les étudiants sont plus encadrés que dans les universités.		
14. Le système d'équivalence est le même dans toutes les universités.		
15. Le site ENIC-NARIC donne des informations sur les équivalences et délivre des attestations.		
16. On peut rester pendant tout son cursus universitaire dans un petit coin de paradis.		
17. Un étudiant débutant son cursus universitaire peut être admis à la Cité universitaire internationale de Paris.		

❶ POURQUOI VENIR ÉTUDIER EN FRANCE

Quelques témoignages parmi les nombreux étudiants qui ont fait le choix de venir en France pour commencer ou continuer leurs études universitaires.

« Je viens du Brésil, et j'ai pris contact avec l'université de Grenoble pour faire mon doctorat en sciences politiques. Mon but était de devenir professeur d'université. J'ai tout particulièrement apprécié l'ambiance de travail, les aides à la méthodologie pour rédiger ma thèse. J'ai aussi eu l'occasion d'enseigner comme lectrice. J'ai pu trouver facilement un logement à Grenoble, importante ville universitaire. »

Vanessa

« Je viens de Chine où j'ai fini ma licence. Avant de venir en France, j'ai suivi des cours de français pendant 3 mois, puis j'ai repris des cours pendant 6 mois en France. Ce qui m'intéressait, c'était l'archéologie. J'ai beaucoup aimé la gentillesse des professeurs, leur patience. Ce séjour en France a été pour moi l'occasion d'acquérir une certaine autonomie. »

Fang Yin

« Moi, je viens du Maroc et, comme beaucoup d'autres étudiants de mon pays, j'ai passé le test de connaissance du français attestant de mon niveau en langue pour suivre des études en France. J'ai été admis sans problème en quatrième année dans une école d'ingénieur. J'ai réussi à avoir une bourse, ce qui m'a permis de finir mes études et de passer des diplômes reconnus au niveau international. »

Bachir

Qui sont ces étudiants ?

Vanessa, Fang Yin et Bachir font partie de ces nombreux étudiants qui viennent en France pour leurs études. Il faut savoir que la France est, après les Etats-Unis et le Royaume-Uni, le troisième pays d'accueil des étudiants étrangers dans le monde. La plus grande partie des étudiants vient d'Afrique du nord, notamment du Maghreb puis d'Europe et d'Asie. Peu d'étudiants viennent d'Amérique. Dernièrement, les étudiants les plus intéressés par l'enseignement français sont chinois. Leur effectif a été multiplié par deux depuis 2002.

Les étudiants s'inscrivent plus dans les universités que dans les écoles spécialisées et c'est l'économie et la gestion suivies des sciences qui attirent le plus les étudiants.

▶

Combien coûtent ces études en France ?

Les étudiants apprécient le fait de pouvoir profiter de formations de qualité à un prix moins élevé que dans d'autres pays. En France, les frais de scolarité à l'université sont parmi les moins chers au monde (de 162 à 320 € par an pour la rentrée 2006) et l'État en prend en charge une grande partie. De même, dans les grandes écoles, la scolarité reste relativement élevée. Par exemple, alors qu'il faut compter 65 000 € pour un MBA à la London Business School, la même formation, de qualité identique (selon le classement Business week établi en 2004), revient à 45 000 € à l'INSEAD de Fontainebleau. Et si on débourse de 5 000 € à 8 000 € par an dans les grandes écoles les plus réputées (ESSEC, HEC...), les établissements étrangers similaires font payer le double aux étudiants.

Il faut aussi noter que les étudiants français et étrangers bénéficient d'une égalité de traitement au niveau des exigences d'accès, des frais d'inscription, du statut de l'étudiant, du cursus scolaire, des diplômes délivrés ainsi que des aides au logement. En revanche, les étudiants doivent avoir un certain niveau de compétence en langues qui est évalué avant l'inscription par un test.

À quel niveau s'inscrivent les étudiants qui viennent en France ?

Les étudiants qui décident de venir suivre des études en France s'inscrivent généralement en deuxième et troisième cycles.

Il est recommandé de venir en France après avoir décroché son bachelor (le diplôme du supérieur le plus répandu en Europe, obtenu au bout de trois ou quatre ans) dans son pays.

Les étudiants peuvent alors effectuer un master en deux ans dans une université française, ils ont acquis une certaine maturité, ont peut-être aussi eu l'occasion d'apprendre le français qui est bien nécessaire pour la rédaction des travaux écrits.

Vaut-il mieux partir dans le cadre d'une organisation ou partir seul ?

Cela dépend de la personnalité de chacun ou chacune. Il existe des programmes d'échanges européens tels que Socrates, Leonardo, Erasmus qui facilitent les démarches administratives (inscriptions dans une université, logement...) et qui prévoient une aide financière. Cependant, il y a peu de places prévues dans les programmes d'échanges, et, d'après les statistiques, la grande majorité des étudiants viennent sans passer par des organismes et se débrouillent une fois sur place.

Pour en savoir plus, consultez le site suivant : http://www.education.gouv.fr. Vous y trouverez les principaux programmes européens : Comenius, Erasmus, Leonardo Da Vinci, Grundtvig.

http://ec.europa.eu/education/lifelong-learning-programme/doc78_fr.htm

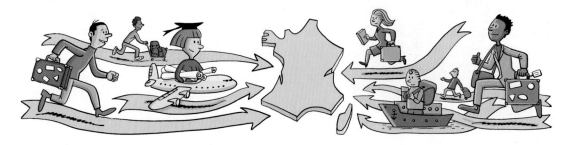

❷ LES COURS À LA FRANÇAISE

Quelques témoignages contradictoires d'étudiants qui ont découvert l'université française.

« En entrant à l'Université, j'ai eu l'agréable surprise de trouver un cadre favorisant le goût des études, l'envie de lire, d'écrire, l'envie de donner le meilleur de soi-même. Je l'ai trouvé dans cette université où j'ai commencé ma troisième année en biologie. Ce que j'ai particulièrement apprécié, ce sont les qualités pédagogiques et humaines des enseignants et les conditions d'études, car les cours y sont dispensés en petits effectifs ! »

Karine

« J'ai fait l'expérience de quelques facs françaises et j'ai été très déstabilisée dès ma première fac. D'abord, je viens d'un pays où l'informatique fait partie du quotidien. Chaque étudiant dispose d'un email sur le serveur de la fac pour être prévenu si un prof veut le voir, pour contacter tous les autres étudiants ou l'administration. Je m'attendais à avoir des cours sur Internet, mais là, peu d'utilisation d'internet et pas du tout d'intranet. »

Kalika

« Dans ma fac française, les professeurs connaissaient personnellement leurs étudiants et les étudiants connaissaient leurs camarades ! Il y avait une très grande liberté dans les façons d'évaluer le travail, car les productions personnelles étaient vraiment prises en compte. Ce que j'ai aussi beaucoup aimé, c'est la diversité des cours. »

Ishi

« J'ai trouvé qu'il y avait beaucoup de travaux individuels. J'en ai fait au moins 15. Par contre, je n'avais plus l'habitude des amphithéâtres avec plus d'une centaine d'étudiants. »

Neil

« En ce qui concerne les méthodes pédagogiques, j'ai trouvé que de réels efforts étaient faits par les professeurs pour rendre leurs cours plus attractifs. Avant il n'y avait pas de communication entre les profs et les élèves, le prof était derrière son bureau et dictait son cours. Maintenant, je trouve que la communication prof-élève s'est améliorée, même si on ne fait pas comme dans mon pays où on va boire un pot avec les profs et on les appelle par leur prénom. »

Fredrik

L'organisation des cours à l'université et dans les grandes écoles n'est pas la même.

Il n'est pas du tout facile de s'orienter dans un système différent de celui du pays qu'on a quitté. Tout peut être différent : l'administration, les cours, les examens, la notation, l'organisation du cursus.

À l'université

Il y a de vingt à trente heures de cours par semaine. Ces cours sont répartis entre ce qu'on appelle des cours magistraux, c'est-à-dire des cours donnés par un professeur sur son estrade dans un amphithéâtre de cent à mille places, et des travaux dirigés, qu'on appelle communément des TD ou des TP (travaux pratiques) pour les matières scientifiques. Pendant les cours en « amphis », les élèves prennent en notes tout ce que dit l'enseignant. Les cours magistraux donnent bien sûr rarement lieu à des débats. Par contre, à la fin du cours, les étudiants peuvent aller voir le professeur et lui poser des questions. Les présences ne sont pas contrôlées pendant ces cours en amphis.

Les TD/TP eux, sont obligatoires, et l'absence des étudiants est notée. Ils ont lieu en plus petits groupes dans des salles et servent à approfondir les sujets vus en amphithéâtre ou à une mise en pratique. En France, il y a une tradition assez scolaire et les heures de cours sont nombreuses. Cette organisation et ces obligations sont souvent un choc pour les étudiants étrangers qui sont habitués à plus d'autonomie, à travailler par eux-mêmes.

Les partiels. L'année scolaire à l'université s'étend d'octobre à juin et se divise en deux semestres. À la fin de chaque semestre, les étudiants passent des examens que l'on appelle des « partiels ». L'évaluation du travail des étudiants prend en compte d'une part les résultats obtenus au cours du semestre, c'est-à-dire le contrôle continu, et d'autre part les notes obtenues aux partiels. Le système de notation est également très différent. Il faut expliquer aux étudiants que la notation est sur 20 (parfois sur 100), alors que dans leur pays ils sont classés en A, B, ou C. Et aussi expliquer que les 20/20 sont exceptionnels… et qu'un 15 peut être considéré comme une bonne note !

Dans les grandes écoles

L'enseignement dans les grandes écoles ressemble beaucoup plus à celui du secondaire (collège et lycée). L'organisation des cours est souvent la même que dans le secondaire : heures de cours nombreuses et classes plus réduites. Les étudiants s'adaptent plus ou moins facilement selon leur origine géographique. Certains étudiants ont l'habitude du par cœur et ont du mal à s'adapter quand on leur demande de la réflexion et de l'application. D'autres sont très créatifs et font preuve d'une grande imagination.

❸ LES ÉQUIVALENCES DE DIPLÔMES

Un processus long et complexe

Il n'existe aucune équivalence automatique entre les diplômes obtenus dans un pays et les diplômes français. Il vaut mieux faire partie d'un programme d'échanges pour que les reconnaissances soient prises en charge sinon le processus de reconnaissance de vos diplômes peut s'avérer long et complexe.

Faire reconnaître son diplôme de fin d'études secondaires

Un ou une titulaire d'un diplôme de fin d'études secondaires extérieur à l'Union européenne qui veut commencer des études en France, doit en adresser la demande au rectorat dont dépend l'établissement d'enseignement supérieur où il veut s'inscrire. Avec un diplôme de l'enseignement secondaire professionnel, il est possible de s'adresser directement au ministère de l'Éducation nationale, à la direction de l'enseignement scolaire.

Faire reconnaître son diplôme d'études supérieures

Un étudiant déjà en possession d'un diplôme d'études supérieures dans son pays, doit faire une demande de reconnaissance ou une demande de dérogation de titre au service de la scolarité de son université ou de son école. Il faut savoir que chaque établissement d'enseignement supérieur fixe ses propres équivalences.

Pour tous renseignements complémentaires, consulter le site de l'ENIC-NARIC France, le centre d'information sur la reconnaissance académique et professionnelle des diplômes : http://www.ciep.fr/enic-naricfr

❹ LA CITÉ UNIVERSITAIRE INTERNATIONALE : UN PETIT COIN DE PARADIS À PARIS !

Le dialogue des cultures

Plus de 130 nationalités se retrouvent dans cet espace. Le Maroc côtoie le Brésil et la Norvège, le collège néerlandais est tout à côté de la maison des étudiants de l'Asie du Sud-Est, le Japon se trouve en face de la Suède. On peut flâner, découvrir la nature dans un parc de 34 hectares, ouvert toute l'année au public.

Les logements des 40 maisons du monde entier ne sont pas a priori conçus pour un séjour familial, mais il est possible à certaines conditions d'être logé avec un conjoint ou une conjointe. Toutes celles et ceux qui ont séjourné dans ce lieu en gardent un souvenir ému. D'abord parce que c'est un lieu propice aux études mais aussi aux rencontres. C'est un endroit magnifique pour la rencontre des différentes cultures.

Qui sont les heureux résidents de ce lieu ?

Des étudiants de niveau master et doctorat, des sportifs de haut niveau et des artistes. L'admission est prononcée pour une année universitaire et la réadmission n'est pas automatique. Le séjour ne couvre donc pas toujours la totalité du cursus universitaire. Il est aussi possible de rester très peu de temps (trois nuits au minimum). Mais attention, ce n'est pas un hôtel !

Pour en savoir plus, faites un tour sur le site de la cité universitaire internationale de Paris : www.ciup.fr

Le domaine public

QUIZ Toutes les réponses sont données dans les pages suivantes. Cochez *vrai* ou *faux*.

	VRAI	FAUX
1. Les gîtes sont des habitations louées par les agriculteurs aux vacanciers.		
2. Ils ont été créés à la fin du xxᵉ siècle.		
3. Le Ministère du Tourisme a favorisé la création des gîtes.		
4. Les agriculteurs ont reçu de l'argent pour rénover leurs bâtiments.		
5. Le succès des gîtes vient en partie de l'allongement des congés payés.		
6. L'intérêt pour l'écologie a aussi contribué au succès des gîtes.		
7. Il existe un guide gratuit des chambres d'hôtes à Paris.		
8. Les personnes qui échangent leur logement sont généralement de milieu modeste.		
9. On peut être hébergé gratuitement en France si on accepte de dormir sur un canapé.		
10. Les personnes qui s'inscrivent sur le réseau des « surfers du sofa » doivent décrire l'espace qu'ils offrent.		
11. Les personnes qui veulent profiter des offres doivent décrire leur personnalité.		
12. La ville la plus visitée par les « surfers du sofa » est Marseille.		
13. Seuls ceux qui offrent leur canapé sont évalués par un commentaire.		
14. Il y a des sites qui proposent des billets de train moins chers que ceux de la SNCF.		
15. La carte *Escapades* de la SNCF offre des réductions même en semaine.		
16. Elle est réservée aux familles nombreuses.		
17. Elle permet d'obtenir des réductions sur les billets de train uniquement.		
18. Le numéro d'urgence 112 peut être appelé même si on n'a pas de couverture réseau.		
19. Si vous appelez le 112 de la France, vous devez savoir parler français.		
20. La carte européenne d'Assurance Maladie est payante.		
21. Les stages de cuisine rencontrent de plus en plus de succès.		
22. Il existe des formules rapides qui combinent cours de cuisine et déjeuner.		

❶ LES BONS PLANS POUR VOYAGER EN FRANCE

Loger chez l'habitant

Si vous souhaitez vous rendre en France, vous pourrez bien sûr aller à l'hôtel ou faire du camping. Le choix ne manque pas tant du point de vue du standing que des prix. Mais les modes d'hébergement alternatifs sont de plus en plus recherchés. Ceux qui ont le plus de succès sont les chambres d'hôtes ou les gîtes. Mais on peut aussi bénéficier des services d'organisations qui proposent des échanges de logement. Dernière idée à la mode : des réseaux mettent en relation des personnes prêtes à offrir un canapé-lit pour une nuit ou deux.

Les gîtes ont été créés dans les années 50. Le ministère de l'agriculture avait décidé de subventionner les agriculteurs prêts à rénover leurs bâtiments vacants et à les louer aux citadins. Cette subvention permettait à la fois de redonner de la valeur aux propriétés rurales, de proposer un mode d'hébergement bon marché aux vacanciers qui commençaient à bénéficier de 3 semaines de congé et d'offrir un complément de revenus aux agriculteurs. Les gîtes et les chambres d'hôtes ont connu un succès phénoménal qui s'explique par l'allongement des congés payés et aussi par l'attrait du tourisme vert dans les années 1970 puis la sensibilité des jeunes à l'écologie dans les années 1990.

Pour répondre à la préoccupation écologique, la Fédération Nationale des Gîtes de France, le Fonds mondial pour la nature (WWF) et la Fédération des parcs naturels régionaux ont créé les « gîtes Panda », spécialement dédiés à la découverte d'une nature remarquable par ses richesses. Ce label n'est accordé par le WWF France que si le propriétaire s'engage à préserver la faune et la flore des environs avec l'aide des scientifiques des parcs naturels.

À la ville on trouve aussi des chambres d'hôtes. Le site de la Ville de Paris (http://www.paris.fr) offre un guide gratuit des 100 plus belles chambres d'hôtes de la capitale. Un moyen de découvrir à la fois Paris et les Parisiens dans des lieux de charme : ancien couvent, péniche ou hôtel particulier.

Une autre façon encore de faire des économies consiste à échanger son logement. De plus en plus de Français sont prêts à échanger leur appartement contre celui d'autres vacanciers avec qui ils ont été mis en relation par des organismes spécialisés. Ils viennent souvent de milieux favorisés et si la gratuité est tout de même un facteur qui contribue aux succès des échanges, ce n'est pas le principal. On cherche avant tout à se sentir « chez soi » dans un cadre intime.

Enfin la formule la plus récente consiste à se faire prêter un canapé pour une nuit ou deux comme l'indique l'article suivant.

LES SURFEURS DU SOFA

Il est 21 heures. Michaël Russo, 33 ans, scrute la foule depuis l'entrée du pilier est de la tour Eiffel. Tee-shirt bleu et sac à dos de baroudeur, il attend impatiemment un mystérieux couple d'Australiens : **« Tout ce que je sais, c'est qu'ils arrivent de Londres »**, *explique-t-il, le téléphone à la main. Quelques minutes plus tard, Aron et Simone fendent la foule et se dirigent droit sur lui. Ils se saluent, échangent quelques paroles et s'en vont au restaurant pour un dîner rapide. Ils ne se connaissent pas et ne se sont jamais vus. Pourtant, ce soir, les deux Australiens dormiront chez lui, à Clamart.*

C'est tout l'esprit Couchsurfing, qui signifie "surfer sur un canapé" : au départ un site Internet, maintenant une organisation à but non lucratif, qui a pour vocation de *"connecter les gens et les endroits à travers le monde"*. Concrètement, les « hôtes » mettent à jour leur profil sur le site avec la description de leur canapé, ou même de leur chambre d'ami. Les « couchsurfers », eux, envoient une requête au profil qui les intéresse, en précisant leurs dates d'arrivée et de départ et leurs traits de personnalité. À l'hôte d'accepter ou non. Les visiteurs s'installeront alors chez lui, sans débourser un centime. Après la rencontre, chacun laisse un commentaire sur le profil de l'autre. Positif dans l'immense majorité des cas.

Lancé en 2003, d'après l'idée d'un webmaster américain, Casey Fenton, qui avait testé le concept lors d'un voyage en Islande, il compte plus d'1,2 million de membres répartis dans 232 pays. Selon le site, 23 % des personnes inscrites sont américaines, tandis que la ville qui compte le plus d'hôtes au monde (23 000 surfeurs) n'est autre que Paris.

Dans le métro qui file vers la gare du Nord, où les deux Australiens ont déposé leur valise en consigne pour la journée, une conversation s'engage sur les lieux à découvrir dans la capitale tout en évitant le trop-plein de touristes. Pour Michaël, l'accueil est primordial : « *J'essaie de recevoir les personnes le mieux possible : je leur montre l'appartement, je leur explique où prendre le métro, et si la confiance est installée je leur laisse les clés. Le soir je les rejoins pour un verre ou pour dîner, et on rentre ensemble. J'essaie toujours de passer du temps avec les couchsurfers, car je peux leur montrer des coins qu'ils ne connaissent pas, et c'est pour moi l'occasion de rencontrer des gens. Quand je suis hébergé, j'essaie de même d'être le plus reconnaissant possible pour ce logement gratuit.* » Il n'a jusqu'à maintenant pas eu de mauvaise expérience avec le site.

Aron Alexander, grand rouquin originaire de Melbourne, a troqué son costume de commercial dans une agence de voyage pour endosser celui du globe-trotter au passeport rempli de tampons exotiques. C'est la première fois qu'il fait du couchsurfing. « *Je découvre le site. J'ai envie de voir des choses qu'un touriste ne voit pas. En échange, je peux faire un geste pour remercier, comme préparer à manger ou faire découvrir la culture australienne.* »

Hélène Franchineau, lemonde.fr, 13.08.09

Se déplacer à peu de frais

Il existe des sites qui permettent d'acheter des billets moins chers mais il faut être très flexible quant au choix des dates et même de la destination. Les billets PREMS, très bon marché car achetés longtemps à l'avance, ne sont ni échangeables ni remboursables par la SNCF. Mais le site www.trocdestrains.com a été créé pour permettre aux particuliers qui ne pouvaient plus partir à cette date de se mettre en relation avec d'autres particuliers et de vendre leurs billets soit au même prix, soit encore moins cher. Il faut seulement trouver un moyen de se rencontrer pour payer et obtenir le billet. Si les emplois du temps et la distance ne le permettent pas, le paiement et l'envoi du billet pourront se faire par courrier mais alors il faut se faire confiance. D'autres sites existent tels que www.kelbillet.com

Pour ceux qui séjournent plus longtemps en France, il peut être intéressant d'acheter une carte « Escapades »

à la SNCF.

Elle est destinée aux personnes ayant entre 26 et 59 ans et offre des réductions allant de 25 % à 50 % pendant un an. Cette carte est valable pour tout aller-retour de plus de 200 km effectué sur la journée du samedi ou sur celle du dimanche, ou comprenant une nuit du samedi au dimanche sur place. La carte « Escapades » permet aussi de profiter de prix avantageux pour la location de voitures ou l'hébergement en hôtel chez les partenaires de la SNCF.

Pour en savoir plus, consulter www.sncf.com

Voyager en toute sécurité

En France comme dans toute l'Union européenne, le numéro d'urgence est le 112 : il est gratuit.

On ne pense jamais assez aux problèmes qui peuvent se produire pendant les vacances. Voici deux informations qui peuvent vous aider : le numéro d'urgence et la carte européenne d'assurance maladie.

Le 112 est le numéro unique d'appel d'urgence européen valable dans toute l'Union européenne. Vous pouvez l'appeler pour les urgences de secours aux personnes, médicales ou autres (police ou pompiers). Il est accessible gratuitement depuis un poste fixe, une cabine téléphonique ou un téléphone mobile, même si vous n'avez plus de crédit ou si vous n'avez pas de couverture réseau. En France, les centres d'appel peuvent vous répondre en anglais (si votre fran-

çais n'est pas encore assez bon pour expliquer votre problème) ou bien disposent d'interprètes.

Les habitants de l'un des 27 pays membres de l'Union européenne ou de l'Islande, du Liechtenstein, de la Norvège et de la Suisse doivent se munir de la carte européenne d'assurance maladie. Elle donne accès aux soins durant les séjours dans tous les pays cités ci-dessus, parmi lesquels la France. Cette carte est valable un an. Elle fonctionne chez le médecin, le pharmacien et dans les hôpitaux du service public. Grâce à la carte européenne d'assurance maladie, les frais médicaux sont pris en charge dans les mêmes conditions que pour les assurés du pays qui vous accueille. Cette carte est une initiative de la Commission européenne et elle est bien sûr gratuite.

Comme chacun sait, la France est réputée pour sa gastronomie. Mais déjeuner ou dîner régulièrement au restaurant n'est pas à la portée de toutes les bourses. Si vous souhaitez découvrir les plaisirs de la gastronomie française, le meilleur moyen est d'allier les vacances avec un stage de cuisine. Certains organismes offrent des séjours de 2 à 4 jours avec au programme : randonnée, cueillette, cours de cuisine, conseils, recettes et dégustation des mets préparés. Les recettes sont souvent typiques de la région. Ainsi le Périgord propose la confection du foie gras et la recherche des truffes, et la Provence, la cuisine provençale.

Ces stages, qui sont de plus en plus demandés, ont souvent lieu à la campagne, mais on peut aussi suivre des cours dans les villes. Une formule intéressante est proposée par une société française qui donne des cours de cuisine dans plusieurs villes de France (Paris, Lyon, Bordeaux, Lille, Nantes…) pour personnes débutantes ou expérimentées. Le coût est variable.

Apprendre à cuisiner avec des chefs!

L'Atelier des Chefs est une société française qui donne des cours de cuisine partout en France et en Europe (Londres, Bruxelles…) pour absolument tout le monde, que l'on soit particulier, entreprise, débutants ou confirmés. Ces ateliers sont présents à Paris, Lyon, Bordeaux, Lille, Nantes, Dijon, Bruxelles, Londres et bientôt Dubaï.

Le prix des cours varie de 17 € à 144 € selon le menu et la formule du cours. La formule la moins chère est celle qui permet de cuisiner puis de déguster son plat en 1 heure chrono. Cette formule est prévue à l'heure du déjeuner.

L'ambiance est décontractée. C'est donc sans gêne que l'on peut se familiariser avec les techniques de la cuisine auprès de vrais chefs. Ils nous font découvrir des astuces culinaires et des ustensiles dont on ignorait souvent l'existence (on peut même s'en procurer sur place!).

L'Atelier des Chefs c'est aussi un site Internet entièrement dédié à la cuisine et à son apprentissage. Bien sûr, on peut réserver des cours de cuisine. Mais en plus, on découvre des milliers de recettes des chefs dont toute une partie est garantie à moins de 2 euros par personne. On y trouve également des vidéos pédagogiques de recettes et/ou de techniques culinaires.

Le site met aussi en exergue les produits de saison, les valeurs nutritionnelles et culinaires d'un grand nombre d'aliments grâce à leurs fiches techniques. Vous trouverez aussi un blog pour partager toutes les activités des ateliers.

Source : http://www.dietimiam.com

Le domaine professionnel

QUIZ Toutes les réponses sont données dans les pages suivantes. Cochez *vrai* ou *faux*.

	VRAI	FAUX
1. Le travail de stagiaires aides familiaux est réservé aux femmes.		
2. Les jeunes « au pair » doivent s'inscrire à un cours de langues pour avoir une carte de séjour temporaire.		
3. Un jeune peut rester 2 ans dans une famille « au pair ».		
4. Dans son témoignage, Caterina dit qu'elle voulait avant tout faire cette expérience pour perfectionner ses connaissances en langues.		
5. Elle considère que son expérience a été positive.		
6. Les programmes européens ne s'adressent qu'aux jeunes.		
7. Le programme Leonardo a pour but de faire connaître le monde professionnel aux jeunes.		
8. La période de stage est prise en compte dans le cursus de formation.		
9. Ce qui a intéressé Sandra pendant son stage, c'est avant tout la possibilité de découvrir une région.		
10. Ce que Pedro a retenu de son stage, ce sont les possibilités de travailler de façon différente.		
11. Le programme Gruntvig s'adresse aux adultes.		
12. Un stage en entreprise donne toujours lieu à une convention entre les parties prenantes.		
13. La durée du stage en entreprise ne peut pas dépasser 12 mois.		
14. La validation des acquis professionnels se fait dans le cadre d'un système de formation.		
15. Dans le cadre de la validation des acquis de l'expérience, 3 années d'expérience permettent d'acquérir des diplômes.		
16. Grâce à la VAE les personnes qui témoignent ont obtenu des diplômes correspondant au travail qu'elles exercent.		

❶ LES SÉJOURS AU PAIR

Par abus de langage, il est souvent fait référence aux « jeunes filles » au pair, mais ce terme n'exclut en aucun cas les candidats de sexe masculin.

Ce qu'il faut savoir avant de partir

Pour éviter tout malentendu, il est nécessaire de bien prévoir son séjour : préparer son dossier à l'avance (au moins trois mois avant la date de départ), savoir combien de temps on va partir, quand, évaluer les risques à trouver seul(e) sa famille d'accueil, se renseigner sur les salaires.

Les personnes qui sont accueillies dans une famille en particulier pour s'occuper des enfants sont considérées d'un point de vue administratif comme des stagiaires aides familiaux dont la situation est prévue par un accord européen de 1969.

Les candidats doivent avoir, en principe, entre 18 et 30 ans et une des conditions indispensables pour obtenir une carte de séjour temporaire portant la mention «étudiant», est de s'inscrire à des cours de français spécialisés pour étrangers.

Il est toujours recommandé qu'un accord écrit soit passé entre le jeune et la famille d'accueil avant son arrivée. Cet accord doit préciser les prestations demandées par la famille, les horaires, les conditions de logement et de nourriture, le repos hebdomadaire et le montant de l'argent de poche. Cela évite bien des malentendus, des conflits éventuels. Ainsi, il est arrivé qu'un jeune homme qui n'avait pas précisé ses heures de travail et de repos, soit obligé de travailler de 7 heures du matin à 22 h, samedi et dimanche compris.

Il faut noter aussi que la durée de l'accord ne doit pas, en principe, être inférieure à 3 mois ni supérieure à 1 an, mais peut être prolongée pour permettre un séjour de 18 mois maximum.

Témoignage d'une jeune fille au pair

« J'ai travaillé comme jeune fille au pair pendant 10 mois aux Pays-Bas et 10 mois en France. Dans les deux cas, j'ai eu à m'occuper d'enfants très mignons dans des familles vraiment très accueillantes. J'ai voulu tenter cette expérience pour plusieurs raisons, la première étant que je voulais perfectionner mes compétences en langues. Ces deux séjours ont été en fait une expérience extraordinaire car j'ai appris aussi beaucoup de choses au sujet des enfants, de moi-même, et des cultures et des personnes différentes. Être jeune fille au pair, c'est la meilleure façon d'apprendre une langue, parce qu'on est en totale immersion, on vit avec des gens qui corrigent les erreurs quand on parle et puis on n'est pas en situation de touriste mais on a un travail rémunéré et on participe à la vie quotidienne. Et puis surtout, on est logé. On n'a pas besoin de chercher un logement qu'il est souvent difficile de trouver. Je suis devenue plus indépendante et j'ai plus confiance en moi. »

Caterina

❷ LA FORMATION PROFESSIONNELLE

Le programme européen pour l'éducation et la formation tout au long de la vie offre aux individus la possibilité d'accéder dans toute l'Europe à un processus d'apprentissage dynamique à toutes les étapes de leur vie.

Il existe quatre sous-programmes axés sur les différentes étapes de l'éducation et de la formation :
- Comenius pour les écoles ;
- Erasmus pour l'enseignement supérieur ;
- Leonardo da Vinci pour l'enseignement et la formation professionnels ;
- Grundtvig pour l'éducation des adultes.

Le programme Leonardo da Vinci

Le programme Leonardo da Vinci est conçu comme un outil servant à soutenir et à développer les systèmes de formation et d'enseignement professionnels en Europe.

Les projets sont variés : il y a ceux qui donnent l'occasion à des individus d'améliorer leurs compétences, connaissances et aptitudes par un séjour à l'étranger, et d'autres qui proposent une coopération à l'échelle européenne entre les organismes de formation.

Ce programme soutient en particulier les efforts destinés à rendre l'enseignement professionnel plus attractif pour les jeunes. Les bénéficiaires sont des lycéens, apprentis, formateurs, salariés en formation, les entreprises et tous types d'organismes, publics ou privés, parties prenantes de la formation professionnelle qui ont ainsi l'occasion d'échanger de bonnes pratiques, d'accroître leur expertise.

Témoignages

Voici le témoignage de deux apprentis qui ont obtenu une bourse Leonardo et ont effectué leur stage pratique dans un pays européen. Leur stage a duré 5 mois pour l'une et 6 mois pour l'autre et a été reconnu dans leur cursus.

Sandra est une jeune Française qui fait son stage en Italie grâce à Leonardo dans les métiers de la restauration.

« J'aime ce que je fais et j'ai la chance d'avoir été retenue pour ce stage ! Mes camarades sont des gens qui travaillent beaucoup et même si je suis très fatiguée à la fin de la journée, j'apprends énormément.

J'avais appris l'italien au collège et il me revient sans problème mais je vais quand même prendre des cours de langue pour me perfectionner. Ce séjour m'a donné envie d'améliorer mes connaissances et j'aimerais revenir avec un niveau correct. Je vais rester 5 mois et je sens que ça va passer très vite ! J'ai aussi profité de mes dimanches pour faire du tourisme et la région près de Gênes est très belle.

Mais ce que je retiendrai de mon stage, c'est bien sûr mes progrès en italien grâce à mes collègues italiens et les bons moments passés avec mes camarades français. »

Pedro a fait son stage en France à Toulouse dans un atelier de fabrication de moteurs d'avion.

« Ce que je retiens de mon stage, ce sont d'abord les compétences nouvelles acquises. Ensuite l'occasion qui m'a été donnée d'améliorer mon français (vous l'avez remarqué, j'espère!). J'ai fait des progrès étonnants. J'ai vraiment l'impression d'avoir une certaine maîtrise de la langue. Je crois que je suis passé d'un niveau A2 à B1 (vous voyez, je connais même les niveaux du cadre européen!). Mais je suis resté 6 mois. Et 6 mois, uniquement avec des Français (et des Françaises) qui m'obligeaient à parler en français.

Et puis, j'ai bien sûr beaucoup appris. Dans mon école, on avait un atelier et des moteurs sur lesquels on s'entraînait, qu'on démontait et remontait. Mais là, c'était fabuleux. Je pourrais presque remettre les pièces

dans un moteur les yeux fermés. Et puis j'ai appris à travailler différemment, et c'est le plus important. »

Pour plus d'informations sur le programme Leonardo Da Vinci, consulter le site : http://www.europe-education-formation.fr/leonardo.php

Le programme Gruntvig

Ce programme a été lancé en 2000 et fait désormais partie du programme global pour l'éducation et la formation tout au long de la vie. Gruntvig vise à offrir aux adultes des façons d'améliorer leurs connaissances et compétences en les maintenant en forme pour leur donner la possibilité de continuer à travailler.

Il concerne non seulement les apprenants de l'éducation et de la formation des adultes, mais également les enseignants, les formateurs, le personnel éducatif et les établissements proposant ces services.

Parmi les objectifs de ce programme retenons les suivants :

– améliorer la qualité et l'importance de la coopération entre les établissements d'éducation et de formation des adultes ;

– veiller à ce que les personnes en marge de la société aient accès à l'éducation et la formation des adultes, particulièrement les personnes plus âgées et celles qui ont quitté l'enseignement sans les qualifications de base.

Pour plus d'informations consultez le site : http://www.europe-education-formation.fr/grundtvig.php

❸ LES STAGIAIRES ÉTRANGERS EN FRANCE

Comment effectuer un stage en entreprise en France ?

Il est possible d'effectuer un stage en entreprise en France dans le cadre d'une formation organisée dans le pays de résidence ou quand on suit une formation professionnelle en tant que salarié d'une entreprise établie hors de France. Le stagiaire reçoit alors une carte de séjour temporaire portant la mention « stagiaire ».

Cela suppose bien entendu qu'une convention soit conclue entre le stagiaire, l'établissement de formation ou l'employeur établi à l'étranger et l'entreprise d'accueil en France ou l'organisme de formation professionnelle continue.

La durée initiale du stage ne peut pas dépasser 12 mois. Le stage peut être prolongé une seule fois. Sa durée totale ne peut pas être supérieure à 18 mois.

Un certain nombre de formalités doivent être effectuées par l'entreprise ou l'organisme de formation ou l'association de placement afin que la convention de stage soit visée par la préfecture. Celle-ci est transmise à l'étranger en cas d'accord.

De nombreux jeunes ont pu ainsi rencontrer des jeunes d'autres pays, confronter leur façon de travailler et par la même occasion perfectionner leur compétence en langues. Il est évident que le fait de parler la langue de son interlocuteur est gratifiant d'un point de vue à la fois personnel et professionnel.

❹ FORMATIONS UNIVERSITAIRES ET QUALIFICATIONS PROFESSIONNELLES

La validation des acquis de l'expérience (VAE), vous connaissez ?

Il s'agit là d'un dispositif qui a permis à de nombreuses personnes d'améliorer leurs conditions de travail et leur a souvent donné l'envie de continuer à se former. Elle a en particulier montré à ces personnes que leur expérience était reconnue.

La validation des acquis dans l'enseignement supérieur permet de valider des compétences acquises en dehors du système universitaire mais aussi de tout système de formation.

Deux dispositifs distincts permettent d'accéder soit à un niveau de l'enseignement supérieur pour poursuivre des études, soit d'obtenir tout ou partie d'un diplôme de l'enseignement supérieur selon les conditions suivantes :

La validation des acquis de l'expérience (VAE) offre la possibilité d'obtenir une partie ou la totalité d'un diplôme à condition de justifier au minimum de trois années d'expérience professionnelle en rapport avec le contenu du diplôme souhaité.

La validation des acquis professionnels (VAP 85) permet d'accéder directement à une formation universitaire sans avoir le diplôme requis, en faisant valider une expérience professionnelle (salariée ou non), les formations suivies ou les acquis personnels développés hors de tout système de formation.

Pour en savoir plus :
http://www.service-public.fr

Témoignages

« Je m'appelle Narjès, j'ai 45 ans, j'ai été à l'école et au collège à l'étranger. J'ai d'abord travaillé comme assistante maternelle pendant 10 ans dans une crèche familiale. Puis j'ai travaillé à la mairie et depuis 3 ans, je suis agent de service dans des écoles maternelles.

J'ai fait une demande pour valider mon expérience professionnelle et j'ai rempli un dossier. Ensuite je suis passée devant un jury de 3 personnes. Un mois plus tard, j'ai reçu un courrier qui m'annonçait que j'avais obtenu le CAP Petite enfance*. Avec ce papier, je peux maintenant proposer mes services dans d'autres institutions et puis, je gagne un peu plus. »

* CAP : certificat d'aptitude professionnelle.

« Je m'appelle Clément, j'ai 50 ans et je travaille dans une association auprès de personnes handicapées comme agent de soins. Pour avoir le diplôme d'aide-soignant, je suis passé par la VAE. Mon employeur a financé ma formation. Pendant cette formation, on m'a donné des méthodes de travail et je me suis entraîné à répondre à des questions devant un jury. Bien sûr, j'ai eu des difficultés au début parce que je n'avais plus l'habitude d'étudier. Mais j'y suis arrivé et si c'était à refaire, je le referais. »

DIPLÔME D'ÉTUDES EN LANGUE FRANÇAISE

DELF B1

Niveau B1 du cadre européen commun de référence pour les langues

ÉPREUVES COLLECTIVES	DURÉE	NOTE SUR
1 Compréhension de l'oral Réponse à des questionnaires de compréhension portant sur trois documents enregistrés ayant trait à des situations de la vie quotidienne (2 écoutes). *Durée maximale des documents : 6 minutes*	**25 minutes environ**	**/25**
2 Compréhension des écrits Réponse à des questionnaires de compréhension portant sur deux documents écrits : • dégager des informations utiles par rapport à une tâche donnée ; • analyser le contenu d'un document d'intérêt général.	**35 minutes**	**/25**
3 Production écrite Expression d'une attitude personnelle sur un thème général (essai, courrier, article…).	**45 minutes**	**/25**
ÉPREUVE INDIVIDUELLE	DURÉE	NOTE SUR
4 Production orale Épreuve en trois parties : • entretien dirigé ; • exercice en interaction ; • expression d'un point de vue à partir d'un document déclencheur.	**15 minutes environ** *préparation :* *10 minutes* *(ne concerne que la 3e partie de l'épreuve)*	**/25**

Seuil de réussite pour obtenir le diplôme : 50/100
Note minimale requise par épreuve : 5/25
Durée totale des épreuves collectives : 1 heure 45 minutes

NOTE TOTALE : **/100**

Compréhension de l'oral

25 points

Vous allez entendre trois documents sonores, correspondant à trois exercices.

Pour le premier et le deuxième document, vous aurez :
– 30 secondes pour lire les questions ;
– une première écoute, puis 30 secondes de pause pour commencer à répondre aux questions ;
– une deuxième écoute, puis 1 minute de pause pour compléter vos réponses.
Pour répondre aux questions, cochez (☒) la bonne réponse, ou écrivez l'information demandée.

EXERCICE 1 🔊30

6 points

Lisez les questions, écoutez le document puis répondez.

❶ Quelle formule de vacances la famille a-t-elle choisie ? *1 point*

....

❷ Ils ont découvert cette formule grâce à : *1 point*
- ❏ des amis.
- ❏ une agence.
- ❏ un guide de voyage.

❸ Pour trouver un logement, ils ont… *1 point*
- ❏ passé une annonce.
- ❏ rempli un questionnaire.
- ❏ rempli un bon de réservation.

❹ Ils ont tout d'abord choisi leurs hôtes[1] en fonction de : *1 point*
- ❏ leur âge.
- ❏ leur profession.
- ❏ leur connaissance de la langue française.

❺ Ils ont visité la région de leurs hôtes grâce à : *1 point*
- ❏ leur propre voiture.
- ❏ une voiture louée.
- ❏ la voiture de leurs hôtes.

❻ Qu'est-ce qui a plu aux hôtes ? *1 point*
- ❏ La visite de la région.
- ❏ Le confort de la maison.
- ❏ Les rencontres qu'ils ont faites.

---

1 hôte : ce mot peut signifier la personne qui reçoit ou la personne qui est invitée.

EXERCICE 2 🔊 31   (8 points)

Lisez les questions, écoutez le document puis répondez.

❶ Pourquoi les étudiants sont-ils intéressés par le travail d'animateur ?   *1 point*

 ❏ Parce que c'est un travail qu'ils peuvent faire pendant les vacances.

 ❏ Parce que c'est un travail qui n'est pas trop fatigant.

 ❏ Parce que c'est un travail que tout le monde peut faire.

❷ Quelles compétences faut-il avoir pour devenir animateur ? Citez-en deux.   *1,5 point*

 a) ....

 b) ....

❸ Selon le document, dans ce métier, les femmes sont…   *1 point*

 ❏ moins nombreuses que les hommes.

 ❏ aussi nombreuses que les hommes.

 ❏ plus nombreuses que les hommes.

❹ Quelles qualités faut-il avoir pour devenir animateur ? Citez-en deux.   *1,5 point*

 a) ....

 b) ....

❺ Selon ce reportage, ce métier est…   *1 point*

 ❏ exigeant.

 ❏ amusant.

 ❏ facile.

❻ Pourquoi le métier d'animateur est-il plutôt réservé aux jeunes ?   *2 points*

 ....

EXERCICE 3 🔊 32   (11 points)

*Vous avez 1 minute pour lire les questions ci-dessous. Puis vous entendrez une 1ʳᵉ fois
un document sonore. Ensuite vous aurez 3 minutes pour commencer à répondre aux questions.
Vous écouterez une 2ᵉ fois l'enregistrement. Après la 2ᵉ écoute, vous aurez encore
2 minutes pour compléter vos réponses.*

*Pour répondre aux questions, cochez (☒) la bonne réponse ou écrivez l'information
demandée.*

Lisez les questions, écoutez le document puis répondez.

❶ De quel type de document s'agit-il ?   *2 points*

 ....

❷ Les soldes d'hiver durent environ :   *1 point*

❏ une semaine.

❏ deux semaines.

❏ un mois.

❸ Les soldes concernent :   *1 point*

❏ surtout les vêtements.

❏ surtout l'équipement de la maison.

❏ tous les articles.

❹ Quel est le pourcentage de réduction maximale dont on peut bénéficier ?   *2 points*

....

❺ Pour profiter des soldes, il vaut mieux :   *1 point*

❏ avoir du temps.

❏ y aller tout de suite.

❏ attendre la fin.

❻ Pendant les soldes, de nombreux services sont offerts :   *1 point*

❏ surtout dans les grands magasins.

❏ surtout chez les petits commerçants.

❏ dans ces deux catégories.

❼ Citez deux types de services offerts par les commerçants pour attirer les clients :   *2 points*

a) ....

b) ....

❽ Pendant les soldes, les voyagistes offrent des promotions :   *1 point*

❏ sur les billets d'avion.

❏ sur les week-ends.

❏ sur les séjours.

❷ Compréhension des écrits

25 points

■ EXERCICE 1

10 points

Vous recherchez un livre à offrir à un(e) ami(e). Cet(te) ami(e) aime les romans qui :
- **relatent des expériences personnelles ;**
- **rapportent des histoires de voyages ;**
- **évoquent des rencontres ;**
- **sont remarquables pour leur écriture ;**
- **suggèrent des images inoubliables.**

Vous hésitez entre les quatre livres suivants.

Les hommes à terre
de **Bernard Giraudeau**, éditions Points

En une série de nouvelles, où l'auteur évoque très souvent ses expériences personnelles, nous allons à Saigon où nous partageons la nostalgie d'un rescapé de la guerre, à Lisbonne où l'auteur fait la connaissance d'un pêcheur angolais qui se plaint de la dureté de son travail et de la rareté du poisson, à Brest où se succèdent, racontées avec beaucoup d'habilité, des aventures sentimentales brèves avant que les marins ne regagnent leur bateau. Bernard Giraudeau, acteur devenu écrivain, renoue avec sa jeunesse et puise avec bonheur dans la richesse de sa mémoire.

Nullarbor
de **David Fauquemberg**, éditions Folio Gallimard

David Fauquemberg a frappé fort avec son premier livre qui a été le coup de cœur du festival de Saint-Malo.
Le récit est celui d'un voyage en stop dans les contrées sauvages d'Australie, à la rencontre de personnages inquiétants. Ce livre nous entraîne dans un climat de violence digne du Far West, mais c'est surtout un livre qui pourrait bien être autobiographique, écrit avec une grande maîtrise à la façon d'un Conrad et d'un Hemingway. La culture cinématographique de l'auteur produit des scènes que le lecteur n'est pas prêt d'oublier.

Tierra del Fuego, Cap Horn, le golfe des peines
de **Francisco Coloane**, éditions Phébus

Les bras de mer au sud du Chili sont balayés par les vents, dominés par des sommets de 3000 m d'altitude et bordés de glaciers. Ce paysage a été décrit par Francisco Coloane, fils de capitaine, qui à son tour fut matelot, mais aussi éleveur de moutons, prospecteur de pétrole, géographe. Il évoque dans de courtes nouvelles la vie terrible des pêcheurs, des marins et des gardiens de phare. Dans un style rude et dépouillé à l'image de ce territoire, ce merveilleux écrivain conte aussi l'existence des Indiens qui habitaient ces contrées et qui ont aujourd'hui disparu, décimés par les maladies apportées par les Européens.

Robinson des mers du Sud
de **Tom Neale**, éditions La Table Ronde

Tom Neale, un marin de 50 ans se fait déposer sur des îlots au nord des îles Cook, à l'écart des routes de navigation. Il veut créer une sorte de paradis terrestre. Il vivra sur ces îlots dépourvus de ressources. Il aménagera un poulailler, cultivera quelques légumes, recueillera l'eau de pluie, se nourrira de poissons, de noix de coco. Il y vivra pendant près de 20 ans, jusqu'au jour où il meurt de maladie. Il laissera sur l'île ses poules, ses plantations et un cahier recommandant aux visiteurs venant en voilier en escale d'entretenir son domaine. À présent un couple de gardiens et leurs enfants vivent sur l'île.

❶ Dans le tableau ci-dessous, cochez les cases lorsqu'un livre correspond aux critères énoncés.

10 points (0,5 point par case)

	Les hommes à terre		Nullarbor		Tierra del Fuego		Robinson des mers du Sud	
	Oui	Non	Oui	Non	Oui	Non	Oui	Non
Le livre relate des expériences personnelles.								
Le livre rapporte des histoires de voyages.								
Le livre évoque des rencontres.								
Le livre est remarquable pour son écriture.								
Le livre suggère des images inoubliables.								

❷ Quel livre avez-vous choisi ?

....

EXERCICE 2 $\qquad$ (15 points)

Lisez le texte, puis répondez aux questions, en cochant (☒) la bonne réponse, ou en écrivant l'information demandée.

ON APPREND AUSSI AVEC SON INCONSCIENT

L'histoire se passe il y a bien longtemps dans une institution dite « spécialisée ». Un enseignant essaie d'apprendre à compter à un petit garçon. L'enfant a 7 ans, beaucoup de difficultés, des retards importants mais une très grande envie d'y arriver. Il entreprend donc de compter les doigts de sa main et, triomphant, annonce le résultat : « Quatre ! »

« Tu te trompes, dit l'enseignant en lui montrant sa propre main. Regarde : un, deux, trois, quatre... cinq ! » L'enfant, toujours attentif, recommence avec la sienne et, contre toute attente, parvient au même résultat que précédemment : ... quatre ! L'enseignant ne désespère pas. Il recommence et recommence encore jusqu'à ce que, partagé entre l'incrédulité et l'exaspération, il explose : « Mais enfin, ce n'est pas possible ! Sur ma main, tu es d'accord, il y a cinq doigts. Alors pourquoi sur la tienne il n'y en aurait que quatre ? » Pour entendre l'enfant, pathétique, déclarer comme un constat d'évidence : « Moi, tu sais, j'en ai toujours moins que les autres. »

Ce petit garçon (faut-il le préciser ?) n'était pas en mesure de plaisanter, et la formule énoncée résumait parfaitement son histoire. Ce jour-là, l'enseignant – il l'écrivit plus tard – reçut une inoubliable leçon de mathématiques. Leçon confirmée jour après jour par l'expérience des thérapies d'enfants en échec scolaire. N'en déplaise en effet aux tenants du « tout-cognitif[1] », on n'apprend pas seulement avec sa « tête ». On apprend aussi avec son corps, ses émotions, et surtout son inconscient. Et les enfants se servent souvent sans le savoir des apprentissages scolaires pour exprimer des souffrances qu'ils n'arrivent pas à dire autrement.

Pour apprendre à compter, disait Françoise Dolto, il faut savoir pour qui l'on compte. Vérité que traduit aujourd'hui à sa façon le langage des adolescents : « Le prof, y m'calcule même pas, M'dame ! ». (Et le problème ne s'arrête pas là. Certains élèves, par exemple, butent sur le « plus » et le « moins », parce que ces notions les renvoient à une différence des sexes aperçue sans qu'aucune explication ne vienne lui donner un sens. (C'est quoi une fille, un garçon ? Plus un zizi ? Moins un zizi ?). À la mort non dite d'un être cher : pourquoi la famille, maintenant, c'est « moins Mamie » ? Ou, à l'inverse, à une existence qu'on leur a cachée : « Il y avait un enfant avant lui... »

Et il en va de même des autres opérations. La division, par exemple : comment l'apprendre quand on est quatre enfants et que Maman coupe systématiquement le gâteau du goûter en trois parts ? « Tu partageras avec ton frère... »

Alors, que faire ? Installer un « psy » au fond de chaque cour d'école ? Bien sûr que non ! Mais peut-être, avant de se lancer dans des diagnostics aussi savants qu'invalidants pour les enfants et leurs parents et des rééducations au long cours, s'interroger. Pour donner une chance au sens : et si, par hasard, ce blocage racontait quelque chose ? On ferait ainsi de notables économies d'argent, mais aussi d'angoisses. On ne le dira jamais assez : ne pas prendre en compte l'inconscient est toujours un mauvais calcul.

1. Les tenants du « tout-cognitif » dans le domaine de la psychologie considèrent que tout peut être expliqué par la connaissance et la pensée.

Claude HALMOS, psychanalyste
Article paru dans l'édition du 11.11.09 du *Monde*

❶ Ce document traite de :   *1 point*

❏ l'apprentissage des mathématiques à l'école.

❏ des problèmes des adolescents en classe.

❏ des modes d'apprentissage d'un être humain.

❷ Ce document a pour but :   *1 point*

❏ de faire la promotion de la psychanalyse.

❏ de montrer l'importance de l'écoute.

❏ de dénoncer le tout cognitif à l'école.

❸ Le petit garçon, en disant qu'il ne compte que quatre doigts...   *1 point*

❏ tente d'exprimer un malaise.

❏ montre qu'il ne sait pas compter.

❏ veut faire une farce à l'enseignant.

❹ Quand Françoise Dolto écrit « Pour apprendre à compter il faut savoir pour qui l'on compte », que veut-elle dire ? Qu'il faut savoir :   *1 point*

❏ pour qui on travaille.

❏ pour quoi on apprend.

❏ pour qui on est important.

❺ Que préconise l'auteur pour répondre à ces problèmes ?   *1 point*

❏ Faire appel à un psychologue.

❏ Se demander ce que cette réaction signifie.

❏ Chercher des cours de rééducation.

❻ Dites si les affirmations suivantes sont vraies ou fausses en cochant (☒) la case correspondante et citez les passages du texte qui justifient votre choix.

6 points

Le candidat obtient le total des points si le choix V/F et la justification sont corrects. Sinon aucun point (1,5 point par réponse).	Vrai	Faux
• Le petit garçon fait des efforts pour comprendre. Justification :		
• L'enseignant ne comprend pas pourquoi l'enfant donne toujours la même réponse et s'énerve. Justification :		
• On n'apprend qu'avec sa tête. Justification :		
• Selon l'auteur, « ne pas prendre en compte l'inconscient est toujours un mauvais calcul ». Justification :		

❼ Trouvez un synonyme de :
  « N'en déplaise » aux tenants du tout cognitif (3ᵉ paragraphe).

2 points

....

❽ Dans le dernier paragraphe, à quelles « notables économies d'argent » Claude Halmos fait-elle référence ?

2 points

....

❸ Production écrite

25 points

Vous consultez un forum sur Internet. Vous lisez le message ci-dessous. Vous avez vous-même changé de travail récemment. Vous répondez pour donner votre témoignage sur le sujet.

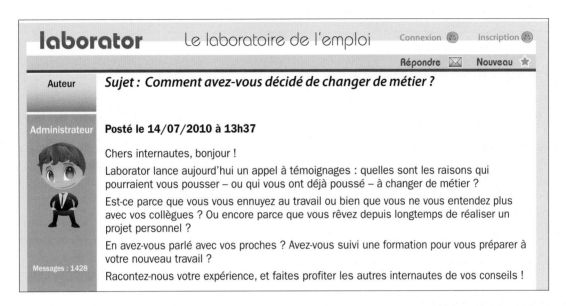

laborator   Le laboratoire de l'emploi   Connexion 😊   Inscription 😊

Répondre ✉   Nouveau ⭐

Auteur	**Sujet : Comment avez-vous décidé de changer de métier ?**
Administrateur Messages : 1428	**Posté le 14/07/2010 à 13h37** Chers internautes, bonjour ! Laborator lance aujourd'hui un appel à témoignages : quelles sont les raisons qui pourraient vous pousser – ou qui vous ont déjà poussé – à changer de métier ? Est-ce parce que vous vous ennuyez au travail ou bien que vous ne vous entendez plus avec vos collègues ? Ou encore parce que vous rêvez depuis longtemps de réaliser un projet personnel ? En avez-vous parlé avec vos proches ? Avez-vous suivi une formation pour vous préparer à votre nouveau travail ? Racontez-nous votre expérience, et faites profiter les autres internautes de vos conseils !

160 à 180 mots

◆4 Production orale

25 points

L'épreuve se déroule en 3 parties qui s'enchaînent.
Elle dure de 10 à 15 minutes.

Pour la 3ᵉ partie seulement, vous disposez de 10 minutes de préparation.
Cette préparation a lieu avant le déroulement de l'ensemble de l'épreuve.

1 ENTRETIEN DIRIGÉ (1ʳᵉ PARTIE) - *2 à 3 minutes sans préparation*

Vous parlez de vous, de vos activités, de vos centres d'intérêt. Vous parlez de votre passé, de votre présent et de vos projets.
L'épreuve se déroule sur le mode d'un entretien avec l'examinateur qui amorcera le dialogue par une question (exemples : Bonjour… Pouvez-vous vous présenter, me parler de vous, de votre famille…).

2 EXERCICE EN INTERACTION (2ᵉ PARTIE) - *3 à 4 minutes sans préparation*

Vous tirez au sort deux sujets et vous en choisissez un. Vous jouez le rôle qui vous est indiqué. Le genre masculin est utilisé pour alléger le texte. Vous pouvez naturellement adapter la situation en adoptant le genre féminin.

▶ SUJET 1

Vous vous êtes inscrit à un cours de français pour préparer un examen et entrer à l'université. Les cours ont lieu le même jour que des séances de sport auxquelles vous avez l'habitude d'aller depuis plusieurs années. Vous discutez avec le secrétaire du centre de langues pour voir s'il n'y aurait pas d'autres horaires disponibles et correspondant à votre emploi du temps.

(L'examinateur joue le rôle du secrétaire.)

▶ SUJET 2

Vous souhaitez faire du tourisme en France avec un ami. À l'agence de voyages, on vous propose un séjour organisé, transport, logement, restauration et visites tout compris. Votre ami aime bien cette formule mais vous, vous préférez organiser davantage le voyage et choisir les endroits où vous allez. Vous en discutez avec votre ami.

(L'examinateur joue le rôle de l'ami.)

3 MONOLOGUE SUIVI - *5 à 7 minutes*

Vous tirez au sort deux documents et vous en choisissez un.

Vous dégagez le thème soulevé par le document et vous présentez votre opinion sous la forme d'un exposé personnel de 3 minutes environ.
L'examinateur pourra vous poser quelques questions.

▶ DOCUMENT 1

Opération plages propres sur le littoral aquitain*

[...]

Il y a 15 ans, les « initiatives océanes » voyaient le jour. Car, si l'été, vous trouvez les plages propres lorsque vous vous baignez, c'est surtout parce qu'elles ont été nettoyées auparavant. Elles ne sont pas dans cet état toute l'année. Loin de là... Malgré toutes ces actions de sensibilisation, l'océan est encore confondu par certains avec une « poubelle ». Selon des chiffres de l'ONU**, « chaque kilomètre carré d'océan contiendrait 120 000 morceaux de plastique ». Effrayant ! Surtout quand on connaît l'effet dévastateur de ces macro-déchets (sachets plastique, bouteilles, emballages, etc.) sur la nature, notamment sur la vie sous-marine.

Article de Nicolas César
sur www.aqui.fr en date du 19/03/2010

* Aquitaine : région du sud-ouest de la France
** Organisation des Nations Unies

▶ DOCUMENT 2

Colocation ou comment payer moins cher son loyer

Les étudiants et diplômés sont les plus nombreux à avoir recours à la colocation. Environ 20 % des jeunes de 25 à 30 ans ont expérimenté ce type de logement. Un taux qui atteint 23 % en Île-de-France.

Mais si la colocation est majoritairement pratiquée par les jeunes de moins de 25 ans, elle connaît un attrait nouveau chez les seniors*. Pour les jeunes retraités, la colocation est vécue comme une alternative** à la maison de retraite. Elle permet de payer moins cher son loyer tout en rompant l'isolement. Car au-delà d'un partenaire avec qui l'on partage la facture d'électricité et les charges, le colocataire devient souvent un ami avec qui se crée une véritable relation de complicité.

La colocation est assurément un mode de vie qui ne connaît pas la crise.

Article du 22 octobre 2008 sur www.valoggia.fr

*seniors : personnes âgées
** alternative : autre solution

Transcriptions

1 Compréhension de l'oral

Exercice 1

– Qu'est-ce que vous faites cette année pendant les vacances ?

– On part à Copenhague. On échange nos maisons avec une famille danoise.

– Ah bon ! Mais comment as-tu découvert cette formule ?

– Il y a cinq ans, je devais retrouver des amis aux États-Unis et je n'arrivais pas à trouver un logement à un prix correct. J'ai vu dans un guide de voyage une agence qui proposait cette formule. Le système avait l'air simple. Il fallait remplir un questionnaire avec une description de notre maison et de ce que nous recherchions. On ne le savait pas, mais le Sud de la France est une des régions les plus recherchées aux États-Unis. On a reçu plus de 60 réponses !

– Quels étaient vos critères ?

– Tout d'abord la langue : nous recherchions d'abord des personnes qui parlent le français,

c'était mieux pour communiquer ! Ensuite bien sûr, l'habitation ! Après avoir hésité entre plusieurs maisons, on s'est finalement décidé pour une villa à Beverly Hills et on y a passé un mois.

– Votre séjour s'est bien passé ?

– C'était génial ! On s'était mis d'accord pour échanger nos voitures, ce qui nous a permis de visiter toute la côte, d'explorer les grands canyons et tous les sites sans avoir à louer une voiture.

– Et les Américains ?

– Ils ont adoré leur séjour même si ce que nous avions à leur offrir était moins luxueux. Je crois que c'est avant tout le côté humain qui les intéressait en venant en France et ils n'ont pas été déçus. J'avais prévenu mes voisins et quelques amis de leur arrivée. Ils ont fait connaissance et ils se sont très bien entendus. L'année d'après, ils ont invité mes voisins.

Exercice 2

Bonjour à tous. Bienvenue dans notre émission « Le Forum des métiers ». Nous allons vous présenter aujourd'hui le métier d'animateur, une profession qui permet souvent aux étudiants de gagner de l'argent pendant l'été et aux étrangers de trouver un travail en France car la connaissance de plusieurs langues est toujours très appréciée.

L'animateur de club de vacances doit prendre en charge les vacanciers durant leur séjour. Il doit faire preuve de bonne humeur et de gentillesse, être capable d'animer les soirées, d'organiser des jeux et parfois aussi de donner des cours de natation ou de voile ou d'animer des ateliers artistiques. Et si quelqu'un tombe malade, c'est encore lui qui devra appeler le médecin et parfois servir d'interprète.

Qu'il soit animateur de colonies de vacances pour enfants ou qu'il travaille sur un bateau ou dans un club, l'animateur doit se montrer disponible à tout moment. Il est rare qu'il puisse se reposer.

Il est plus facile de trouver du travail en tant qu'animateur si on possède des compétences sportives ou artistiques. Mais cela ne suffit pas. Il faut aussi faire preuve de gentillesse et de dynamisme lors de l'entretien d'embauche. Les femmes ont autant de chance que les hommes de trouver du travail. Elles sont aussi nombreuses qu'eux dans cette profession. Mais les contrats sont presque toujours à durée déterminée, parfois pour un mois, parfois plusieurs. Il est rare qu'on puisse être employé à l'année. Et il faut sans cesse faire des démarches pour retrouver du travail. Si les animateurs sont enviés parce qu'ils travaillent sur les lieux de vacances, la réalité est beaucoup plus difficile que l'on peut imaginer. L'animateur n'est pas très bien payé. Son salaire ne dépasse pas de beaucoup le salaire minimum mais il est nourri et logé. C'est pourquoi la plupart des animateurs sont jeunes. Mais il est parfois possible de faire carrière dans cette fonction et de devenir chef animateur ou responsable de club.

Pour en savoir davantage, vous pouvez consulter le site de la Direction du Tourisme : www.tourisme.gouv.fr

 Exercice 3

Les soldes d'hiver approchent, préparez-vous à casser votre tirelire ! Du 12 janvier au 14 février, il y en aura pour tous les goûts et tous les budgets. C'est le moment de vous offrir un costume trois pièces, un buffet quatre portes ou de renouveler votre équipement informatique. Dans le secteur de l'habillement, les réductions peuvent aller jusqu'à 50 % du prix initial. Mais si vous voulez vraiment réaliser des affaires, partez d'abord en repérage et comparez les prix. Pour profiter des soldes, il faut accepter d'y consacrer le temps nécessaire. Cette année encore, les grands magasins et les petits commerçants réservent bien des surprises à leurs clients : musiques d'ambiance, petits déjeuners offerts, boutiques exceptionnellement ouvertes le dimanche, service de portage gratuit à domicile et bien sûr, échange ou remboursement des articles soldés. Vous rencontrerez des commerçants d'autant plus enthousiastes que leur chiffre d'affaires se porte particulièrement bien à cette période de l'année. Et si vous êtes prêt à y passer le temps qu'il faut, profitez-en pour prendre des vacances. Pour l'achat d'un séjour d'une semaine en période de soldes, certains voyagistes offrent désormais une deuxième et même une troisième semaine de vacances gratuites. Ce ne sont pas vraiment des soldes mais c'est une affaire, à coup sûr !

Corrigés

Activité 1 – page 10

	Extrait 1	Extrait 2	Extrait 3	Extrait 4	Extrait 5	Extrait 6
Informer				✓		
Critiquer	✓					
Convaincre					✓	
Présenter		✓				
Témoigner						✓
Conseiller			✓			

Activité 2 – page 10

	Extrait 1	Extrait 2	Extrait 3	Extrait 4	Extrait 5	Extrait 6
Faits divers		✓				
Loisirs				✓		
Culture	✓					
Santé					✓	
Économie			✓			
Politique						✓

Activité 3 – page 11

Sa femme	Acheter un poulet rôti et des salades toutes prêtes à la charcuterie. Prendre une baguette.
Sa fille	Rappeler sa fille pour dire s'il peut l'accompagner en voiture.
Sa mère	Envoyer un email pour donner le nom du restaurant et le numéro de téléphone.
Une amie	Appeler au 06 23 18 34 05 pour accepter ou refuser l'invitation.
Sa sœur	Envoyer un texto pour dire s'il peut aller au concert avec elle.

Activité 4 – page 11

Message 1 :	Aller chercher ma fille à l'infirmerie du collège.
Message 2 :	Vérifier que tout le matériel fonctionne bien dans la salle.
Message 3 :	Relire le compte rendu de la réunion et envoyer des commentaires.
Message 4 :	Passer au bureau de mon collègue pour résoudre les problèmes de connexion Internet.
Message 5 :	Téléphoner à Christophe pour dire si je suis libre pour la réunion de lundi après-midi.

Activité 5 – page 12

	Phrase 1	Phrase 2	Phrase 3	Phrase 4	Phrase 5	Phrase 6
Appréciation positive		✓		✓		
Appréciation négative	✓				✓	
Présentation d'un fait			✓			✓

Activité 6 – page 12

	Pierre	Corinne	Marie-Jo	Nicolas	Christiane	Antoine	Robert
Pas du tout			✓				
Assez	✓			✓		✓	
Très		✓			✓		✓

Activité 7 – page 12

	1	2	3	4	5	6	7
Surprise					✓		
Déception				✓			
Impatience			✓				
Inquiétude	✓						
Colère						✓	
Doute		✓					
Enthousiasme							✓

Activité 8 – page 13

Quelles sont les personnes qui parlent ?	Joëlle, professeur de français, et un ami Patrick.
De quoi parlent-elles ?	De la difficulté de faire cours et d'une idée nouvelle pour motiver les élèves.
Quelles sont les attitudes, opinions et sentiments exprimés ?	Joëlle est fatiguée. Elle a du mal avec ses élèves. Patrick lui donne des conseils. Joëlle pense que l'idée de Patrick est excellente.
Quelles sont les informations importantes entendues ?	Une femme, professeur de français, permet à ses élèves d'utiliser leur portable pour faire des films en classe. Les élèves écrivent les scénarios, sont acteurs et réalisateurs. Ces films sont diffusés sur Internet. Ils sont aussi montrés dans le cadre d'un festival.

Activité 9 – page 13

Quel est le sujet abordé par le document ?	Un nouveau type de magasin qui loue des vêtements.
Quelles sont les informations les plus importantes ?	L'idée de louer des vêtements vient de Candy Miller, jeune franco-britannique. Son but : permettre aux femmes de porter des tenues de créateurs sans se ruiner et de pouvoir en changer souvent. Le nom du magasin vient d'un jeu « poupées de papier ». Candy Miller est fille d'entrepreneurs. Elle a fait des études de marketing, a été employée dans un service de communication. Mais elle préfère travailler à son compte.

Activité 10 – page 14

Quel est le sujet abordé par le document ?	Les problèmes liés au manque de sommeil.
Quelles sont les informations les plus importantes ?	Un Français sur deux dort mal et quatre millions d'adultes ont de graves problèmes de sommeil. La durée moyenne de sommeil est d'environ 7 h, c'est-à-dire une heure et demie en moins qu'il y a 50 ans.
Quelles sont les informations complémentaires qui vous paraissent importantes ?	– Les raisons du manque de sommeil : le stress, les écrans. – Les conséquences : fatigue, prise de poids, dépression, risques d'accident, d'obésité et de diabète et aussi manque de concentration, mauvaise humeur. – Les remèdes : horaires réguliers, éviter de dîner tard, de prendre des excitants, de passer trop de temps devant les écrans. Prendre un bon livre au lit.

Activité 11 – page 14

Quel est le sujet abordé par le document ?	Les devoirs à la maison.
De quel type de problème parle le document ?	Certains enfants ont du mal à faire leurs devoirs. Les parents rentrent fatigués du travail et si l'enfant met de la mauvaise volonté, cela provoque des conflits.
Quels sont les conseils donnés aux parents ?	– Mettre l'enfant à l'étude après les cours. – Faire appel à une personne extérieure. – Lui donner confiance en lui.
Qu'est-ce qu'il ne faut surtout pas faire ?	Ne pas faire les devoirs à sa place.

Activité 12 – page 15

Quel sont les pays et quelle est la région où travaille la correspondante du journal *Le Monde* ?	L'Australie, la Nouvelle-Zélande et le Pacifique Sud.
Pourquoi est-ce que les journaux n'ont pas de correspondants dans tous les pays du monde ?	Ils n'ont pas les moyens.
Pourquoi les articles sont-ils de type « magazine » ?	L'actualité australienne n'intéresse pas beaucoup les journaux français.
Citez 2 types d'articles qui peuvent intéresser les lecteurs.	Deux parmi ceux-ci : – des événements comme la course de voile Sydney-Hobart, – des thèmes généraux comme la laine, – des lieux comme la plage de Bondi, – les plus grosses perles du monde.
Qu'est-ce qui facilite le travail des journalistes en Australie ou Nouvelle-Zélande ?	Le contact avec les politiciens est facile.

Activité 13 – page 15

Combien de temps les Français passent-ils chaque jour à faire la cuisine ?	Une heure en moyenne.
Donnez 2 raisons pour lesquelles les Français font la cuisine.	– Parce que les plats préparés à la maison sont meilleurs que les surgelés. – Pour le plaisir.
Citez 3 choses qui montrent que les Français aiment varier les plats qu'ils préparent.	– Les livres de recettes. – Les sites Internet qui donnent des recettes. – Les émissions culinaires ont beaucoup de succès.
Quelle comparaison est établie entre les Français et les Européens ?	Les Français passent plus de temps à table.
Quel type de soirées a beaucoup de succès auprès des adultes ?	Les soirées à thème où on apporte des plats régionaux ou internationaux.

Exercice 1 – page 16

1. ☒ Pour annoncer son arrivée.
2. ☒ proposent des choses inhabituelles.
3. La France.
4. – D'autres pays ont adopté la même idée.
– Il y a beaucoup de monde dans les musées cette nuit-là.
5. ☒ Il pense qu'il y aura trop de visiteurs.
6. D'aller la chercher à la gare.

Exercice 2 – page 17

1. ☒ ... montre son impatience.
2. ☒ Elle donne de son temps à une association.
3. Un humoriste appelé Coluche.
4. Deux actions parmi celles-ci : distribuer de la nourriture, aider les jeunes mamans, donner du lait, des habits, des couches, aider des familles à partir en vacances, aider les élèves en difficulté.
5. ☒ ... que l'association est prête à aider ceux qui veulent suivre ce modèle.
6. De travailler avec elle dans un des jardins des Restos du cœur.

Exercice 3 – page 17

1. ☒ ... heureux de revoir Émilie.
2. ☒ ... il ne fait pas très bien du vélo.
3. Il faut faire plusieurs stations avant de pouvoir trouver un vélo.
4. À la journée ou à la semaine.
5. 30 mn.
6. Ils changent de vélo toutes les demi-heures.
7. Tout le monde va vers les mêmes endroits.
8. Mettre un casque.

Exercice 4 – page 18

1. Il a réussi son bac.
2. Passer un an à l'étranger.
3. ☒ Il est mécontent.
4. Travailler et se perfectionner en anglais.
5. ... que ça leur coûte cher.
6. À cause du visa vacances-travail.
7. ☒ Le jeune homme risque de tomber amoureux.
8. Fort taux d'abandon des études ou changement d'orientation après la 1re année.
9. Il trouvera plus facilement du travail à son retour.
10. Que son fils parte si loin.

Exercice 5 – page 19

1. Pour la sortie du 2e album de Pauline.
2. ☒ Elle écrivait des chansons et voulait les faire connaître.
3. ☒ de s'entraîner tous les jours à jouer et chanter.
4. ☒ ... éprouvante.
5. Elle a grandi et elle parle mieux l'anglais.
6. Deux chanteurs parmi ceux-ci : Gainsbourg, Paris Combo, Édith Piaf, Boris Vian, Les Rita Mitsouko, Bourvil, Barbara.
7. Laisser son cœur parler.
8. ☒ Elle s'est aperçue qu'elle avait copié une musique de Joe Dassin.

Exercice 6 – page 20

1. L'amour
2. ☒ Amoureuse.
3. ☒ Du plaisir de partager.
4. ☒ La peur.
 ☒ La tristesse.
5. ☒ ... qu'elle n'arrive pas à se contrôler.

Exercice 7 – page 20

1. ☒ Elles montraient les différents aspects d'un projet original.
2. Deux éléments parmi ceux-ci : la collecte, le nettoyage, le séchage, la transformation en accessoires de mode.
3. En accessoires de mode.
4. Parce qu'il y a plein de sacs en plastique dans la nature au Maroc.
5. ☒ Il permet à des femmes marocaines d'avoir un revenu.
6. « Ifassen » signifie mains en langue berbère. Faiza a choisi ce nom car tout est fait à la main.
7. ☒ Dans quelques pays d'Europe et au Japon.

Exercice 8 – page 22

1. Un passe-temps / une activité favorite.
2. Parce qu'il ne pensait pas que la peinture serait son activité principale.
3. Biologie et sociologie.
4. Il a compris que la peinture était la chose qui l'intéressait le plus.
5. Un sentiment de nostalgie.
6. Un mur de sable.
7. Comme un mélange de ce qu'il a vécu au Maroc et en France.
8. Il dit que ses racines sont dans la terre marocaine mais qu'il a été nourri à la fois par la culture arabo-musulmane, par sa vie en France et par ses voyages autour du monde.

Exercice 9 – page 23

1. Il observe les cours. Il travaille avec les professeurs sur leurs techniques de classe. (Il essaie d'apporter des solutions aux problèmes qui se posent.)
2. 4 millions et demi de dollars.
3. ☒ Les cours de langue.
4. ☒ de travaux importants.
5. Une image moderne de l'enseignement de la langue, de la culture et de la France en général.
6. La création de nouveaux programmes et de cours à distance.
7. Des écrivains et des comédiens.
8. L'un des festivals du Fiaf a été élu l'un des 10 meilleurs nouveaux festivals à New York par le *New York Times*.

Exercice 10 – page 24

1. Former des journalistes dans les pays en voie de développement.
2. C'est une fondation basée en France, qui dépend de l'Agence France-Presse alors que les autres sont britanniques ou américaines.
3. Ses formateurs sont uniquement des journalistes professionnels.
4. Deux réponses parmi celles-ci : métier de base, photo-journalisme, économie et finances, éthique des médias.
5. Il a permis à des journalistes de diverses communautés et opinions politiques de travailler ensemble.
6. Contribuer à la réconciliation nationale.
7. Deux réponses parmi celles-ci : les Nations Unies, la Commission européenne, les ambassades et les consulats de France.
8. Moyen-Orient, Afrique, Europe.

Exercice 11 – page 25

Première partie

1. Les grandes grèves. Parce que les gens ont trouvé un autre moyen pour aller au travail.
2. La promotion du roller.
3. Des milliers de Parisiens vont travailler en rollers.
4. Les voies d'autobus.
5. Ce n'est pas cher. Les rollers servent à la fois pour le travail et les loisirs.
6. Le roller / le vélo / les transports en commun / la voiture.
7. Le développement des pistes cyclables et la loi.

Deuxième partie

1. ☒ Parce qu'ils ont peur d'être heurtés.
2. Deux réponses parmi celles-ci : la Mairie de Paris, la Préfecture de police de Paris, le Conseil régional, le Conseil général.
3. La largeur des pistes cyclables et le choix des quartiers pour le développement des pistes cyclables.
4. Il y a un « Monsieur Roller ».
5. Donner au roller une place dans le code de la route.

Exercice 12 – page 26

Première partie

1. À cause de la guerre civile.
2. Le froid et la neige.
3. ☒ ... parce qu'elle voulait réaliser un rêve.
4. La visite d'un site archéologique lors d'une sortie scolaire.
5. ☒ ... au Musée de l'Institut du Monde arabe.
6. Assistante de conservateur.
7. Responsable des collections Afrique du Nord et Proche-Orient.

Deuxième partie

1. « Les chefs d'œuvre du monde entier naissent libres et égaux ».
2. Créer une 8e section consacrée aux arts non européens.
3. Des artistes, des anthropologues, des historiens de l'art.
4. Du Musée de l'Homme et du Musée des arts africains et océaniens.
5. Montrer les réserves en permanence.
6. ... voulait saluer les peuples qui avaient trop souvent souffert par le passé.

Troisième partie

1. Il offre davantage que la présentation de collections permanentes ou d'expositions temporaires.
2. Il offre des bourses et des prix aux chercheurs.
3. C'est un lieu d'échanges entre les cultures des différents continents.

COMPRÉHENSION DES ÉCRITS

Activité 1 – page 46

	L'amicale		Brasserie Bacchus		Chez Titine		Trésor d'Italie	
	oui	non	oui	non	oui	non	oui	non
Jour et heures d'ouverture	✓		✓		✓		✓	
Budget		✓		✓	✓		✓	
Poisson		✓	✓		✓			✓
Végétarien		✓	✓		✓		✓	
Accès en fauteuil roulant		✓	✓		✓		✓	

• Quel restaurant avez-vous choisi pour contenter tout le monde ? Chez Titine.

Activité 2 – page 47

	L'amicale		Brasserie Bacchus		Chez Titine		Trésor d'Italie	
	oui	non	oui	non	oui	non	oui	non
Jour et heures d'ouverture		✓		✓		✓	✓	
Budget	✓		✓		✓		✓	
Viande	✓		✓			✓	✓	
Terrasse		✓	✓		✓		✓	
Desserts	✓		✓		✓		✓	

• Quel restaurant avez-vous choisi pour contenter tout le monde? Trésor d'Italie.

Activité 3 – page 48

Descriptifs	Boulle		Duperré		Olivier-de-Serres		Estienne	
	oui	non	oui	non	oui	non	oui	non
Tradition et modernité	✓		?		✓		✓	
École peu sélective	?			✓		✓	?	
Études courtes	✓		✓		✓		✓	
Communication visuelle	?		✓		✓		✓	
Grand choix de BTS	✓		✓		✓		✓	

Remarque : le signe ? signifie qu'aucune information n'est donnée.

• Quelle école choisissez-vous ? Estienne.
• Justification :
Concernant l'historique : Boulle est « à la fois un conservatoire des savoir-faire et un laboratoire de la création », Estienne « a su évoluer et se préparer aux métiers d'avenir ».
Concernant la sélection des élèves : « Boulle forme les élèves depuis la seconde… », à Duperré « sur 2 200 dossiers reçus… 85 ont été retenus », à Olivier de Serres « les quelque 2 260 candidats qui postulent pour les 120 places de la mise à niveau». Pas d'information sur Estienne.
Concernant la durée de la formation : elles proposent toutes des formations courtes (BTS), et certaines proposent aussi des formations longues.
Concernant les métiers auxquels elles forment : Duperré, Olivier de Serres et Estienne indiquent le diplôme en communication visuelle. Pas d'indication pour Boulle.
Concernant les brevets ou diplômes proposés : grand choix partout particulièrement à Olivier de Serres (7 BTS, 5 diplômes de métiers d'art).

Activité 4 – page 50

1.

	Animateur		Assistant d'éducation		Baby sitter		Hôtesse ou hôte		Saisonnier (parc de loisirs)	
	oui	non	oui	non	oui	non	oui	non	oui	non
Ambiance agréable	✓		?	?	?	?	?	?	✓	
Travail régulier	?	?	✓			✓		✓		✓
Public de tous les âges		✓		✓		✓	✓		✓	
Baccalauréat demandé		✓	✓			✓		✓		✓
Connaissance de l'anglais		✓	✓		✓	✓			✓	
Moyen de transport personnel		✓		✓		✓		✓	✓	
Salaire au smic	✓ et +		✓		✓		✓		✓	

Remarque : le signe ? signifie qu'aucune information n'est donnée.

2.

	Animateurs de loisirs	Assistant d'éducation	Baby sitter	Hôtesse ou hôte	Saisonnier (parc de loisirs)
Peter					✓
Lucia	✓				
Narjès		✓			
Sarah			✓	✓	

Activité 5 – page 52

	1.	2.	3.	4.	5.
Le livre relate des expériences personnelles vécues par l'auteur.		✓		✓	
Le livre se base sur des faits historiques.		✓			
Le livre est très bien écrit.					✓
Le livre s'interroge sur des problèmes humains d'actualité.	✓		✓	✓	✓

• Quel livre choisissez-vous ? *Trois femmes puissantes.*

Activité 6 - page 54

2.

	Les critiques ont		
	apprécié	plus ou moins apprécié	pas du tout apprécié
1	✓		
2			✓
3	✓		
4		✓	
5			✓
6	✓		
7		✓	
8	✓		

3. Pour chaque critique, citez les mots, expressions, phrases qui ont justifié votre choix.
1 « une vraie réussite »
2 « Il ne fait pas rire du tout ; Jeunet se répète »
3 « les acteurs sont touchants et parfois on rit même à en pleurer. »
4 « on a l'impression de déjà vu », « Cela n'empêche pas... »
5 « en fait, il nous agace et nous lasse très vite »
6 « Nous remercions le réalisateur de nous procurer cet agréable plaisir »
7 « on repère vite les « trucs » de Jeunet ; malgré cela, on se laisse toucher »
8 « une comédie pleine de sensibilité et de drôlerie jouée par d'excellents acteurs. »

Activité 7 – page 56

1. a) La source : le quotidien *Libération*
b) La date : 12/10/2009
c) L'auteur : Marie-Joëlle Gros
d) Type de document : un article informatif
3. ☒ Les résultats d'observations sur l'alimentation des jeunes.
4. a) ☒ Ils mangent mieux qu'on ne le croit.
Justification : « les adolescents de France mangent plutôt bien... les adolescents se goinfrent beaucoup moins souvent de cochonneries qu'on ne le croit ».
b) ☒ C'est de rendre les obèses coupables de leur état.
Justification : « En revanche, ce qui inquiète bien davantage ces chercheurs, c'est la stigmatisation de l'obésité maintes fois constatée sur le terrain ».
c) ☒ Bienveillante.

Justification : « ... cessant de regarder cette classe d'âge comme une pathologie ».
d) ☒ Scientifique.
Justification : « Nous avons cherché à confronter le discours ambiant – « attention, les adolescents mangent mal » – aux pratiques réelles ».
5. ☒ Rassurant.
Justification : « allers-retours entre les habitudes familiales et leurs envies d'émancipation, l'alimentation n'est pas nécessairement un problème. Mais plutôt un plaisir... ».

Activité 8 - page 58
Compréhension globale
1. ☒ L'évolution de la société en vingt ans.
Justification : « ... les tendances de fond d'une société. [...] Il y a vingt ans, le tourisme c'était sea, sex and sun. Aujourd'hui, il est plus lié à l'affectif (la famille ou les amis), et à la quête de sens ».
2. ☒ L'idéologie de la performance, c'est fini.
Justification : « Il fallait mettre de la performance partout : dans le couple, au lit, au boulot, en vacances... La crise a mis un terme à cette idéologie-là... »

Compréhension détaillée

3. ☒ Il pense que cette tendance va durer.
Justification : « Et je pense que c'est un mouvement de fond ».
4. ☒ La crise a été déterminante.
Justification : « On voit bien qu'avec la crise économique, les valeurs de marchandisation sont en net recul... La crise a mis un terme à cette idéologie-là... »

Exercice 1 - page 60

	Étretat		Auvers-sur-Oise		Vaux-le-Vicomte		Vézelay	
	oui	non	oui	non	oui	non	oui	non
Arriver en transport en commun	✓		✓		✓			✓
Se loger à des prix très abordables		✓	✓			✓	✓	
Découvrir le patrimoine culturel		✓	✓		✓		✓	
Se promener à pied ou à bicyclette	✓		✓		✓		✓	
Manger de façon très économique		✓	✓		✓			✓

• Quel lieu conseillez-vous? Auvers-sur-Oise.

Exercice 2 - page 62

	Hôtel Bel air		Hôtel du large		Hôtel de la mer		Hôtel le voilier	
	oui	non	oui	non	oui	non	oui	non
Proximité des plages		✓		✓	✓		✓	
Accueil des familles	✓			✓	✓		✓	
Cuisine régionale		✓		✓		✓	✓	
Connexion internet	✓		✓		✓		✓	
Tarifs		✓		✓		✓	✓	

• Quel hôtel allez-vous recommander à vos amis ? Le voilier.

Exercice 3 - page 64

	Offre d'emploi n° 1		Offre d'emploi n° 2		Offre d'emploi n° 3		Offre d'emploi n° 4		Offre d'emploi n° 5	
	oui	non	oui	non	oui	non	oui	non	oui	non
Lydia	✓			✓	✓		✓			✓
Vous		✓		✓	✓		✓			✓

• Justification pour Lydia :
n° 1 : expérience, formation scientifique ; projets en autonomie ; maîtrise des outils informatiques.
n° 2 : ouvrages historiques ; il faut aimer travailler avec les gens.
n° 3 : sens du travail en équipe.
n° 4 : expérience ; formation scientifique ; travail seul ou en équipe ; à l'aise avec les outils informatiques.
n° 5 : expertise et formation en droit.

• Justification pour vous :
n° 1 : expérience de 5 ans ; travail en autonomie.
n° 2 : expérience de 5 ans ; ouvrages historiques.
n° 3 : formation littéraire ; travail en équipe ; connaissance des outils informatiques.
n° 4 : 1re expérience ; travail en équipe ; maîtrise des outils informatiques.
n° 5 : expertise et formation en droit.

• Je choisis les offres d'emploi 3 et 4.

Exercice 4 - page 66
1. Le texte a pour but de montrer comment les jeunes inventent une langue propre.
2. L'idée essentielle est que la langue est avant tout une question de génération.
3. La langue dont les jeunes s'inspirent est l'anglais.
4. Pour mieux se distinguer de leurs parents, les ados empruntent aux langues des minorités de leur pays.
5. a) ☒ Faux
Justification : « Dans tous les pays, dans toutes les langues, les jeunes s'approprient des expressions et bousculent les langues. »

b) ☒ Vrai
Justification : « ... dans la plupart des pays, c'est aux marges de la société que les ados se nourrissent pour mieux se distinguer de leurs parents et de leurs milieux ».
c) ☒ Vrai
Justification : « L'histoire et la sociologie de chaque pays conditionnent le développement des parlers jeunes. »
d) ☒ Vrai
Justification : « Il suffit de parler la langue de son village pour être rebelle. »
6. « essaimé » signifie s'est répandu, a été repris...

7. « l'émergence » signifie l'apparition, le développement, l'utilisation...
8. ☒ Compréhensive.

Exercice 5 – page 68

1. ☒ La répartition des tâches domestiques entre hommes et femmes.
2. ☒ Dénoncer le comportement des hommes à l'égard des femmes.
3. ☒ Critiquer le manque de reconnaissance du travail domestique.
4. ☒ reflète une situation générale.
5. Selon Fabrice Rousselot
a) ☒ Vrai
Justification : « après des siècles d'évolution marqués par des progrès assez radicaux dans bon nombre de domaines, l'homme fait toujours son Cro-Magnon quand il s'agit des travaux domestiques. »
b) ☒ Faux
Justification : « quand l'enfant paraît, les mauvaises habitudes s'accentuent et les inégalités s'accroissent dans le couple. »
Selon Kani
a) ☒ Vrai
Justification : « Préparer un repas pour sa famille, en quoi est-ce mauvais et dévalorisant ? Au contraire : la femme ou l'homme qui prépare ce repas a un pouvoir certain du fait qu'elle ou il choisit ce que les autres vont déguster, ce qui est bien pour leur équilibre nutritionnel [...] »
b) ☒ Vrai
Justification : « En fait, c'est l'ingratitude qui est la plus dévalorisante. Travailler tous les jours pour son foyer sans la moindre reconnaissance voire dans l'indifférence totale, c'est ça qui est dur. »

6. ☒ devraient avoir honte de ces résultats.
7. « les nouvelles générations ont apparemment une idée plus juste de la répartition des tâches à la maison. Il serait grand temps de s'y mettre... »
8. « Elles encore qui sacrifient leur carrière. Comment peut-on s'indigner de l'échec de la parité dans les grandes entreprises ou dans les milieux politiques si l'on est pas capable d'assurer la parité face au balai ? »

Exercice 6 – page 70

1. ☒ Faire un bilan du pacs.
2. ☒ À tout public intéressé.
3. ☒ Une déclaration commune est nécessaire.
4. ☒ Pour se préparer à la vie conjugale.
5. Cela signifie qu'il ne nuit pas au mariage, ne se substitue pas au mariage. Il n'empêche pas les gens de se marier.
6. Cela signifie qu'ils protègent leur intimité et leur couple en évitant la famille.
7. a) ☒ Vrai
Justification : « Lors de ses enquêtes, il a constaté que pour certains couples pacsés, le mariage restait "un idéal" ».
b) ☒ Faux
Justification : tout le troisième paragraphe.
c) ☒ Faux
Justification : « Beaucoup racontent que le regard social sur leur couple a changé dès qu'ils ont eu la bague au doigt ».
d) ☒ Vrai
Justification : tout le 5e paragraphe
8. ☒ Ils sont prévoyants.

PRODUCTION ÉCRITE

Activité 2 – page 79

1. L'éducation

Les degrés de l'enseignement en France
— l'école primaire
— le collège
— le lycée
— l'université, les grandes écoles

Les savoirs de base
— savoir apprendre
— savoir lire
— savoir écrire
— savoir compter/calculer

Les matières
— les langues vivantes : le français, l'espagnol, l'anglais, l'arabe, le chinois
— les sciences : les mathématiques, la physique, la biologie, la médecine
— la littérature
— l'histoire, la géographie
— la philosophie
— l'économie
— le droit

Les personnes et leur rôle

— Les élèves/les étudiants : ils vont en cours pour étudier/apprendre, ils font des exposés, ils passent des examens, ils obtiennent des diplômes.
— Les professeurs : ils donnent les cours, ils transmettent un savoir, ils mettent des notes.
— Le principal, le proviseur : il dirige un collège, un lycée.
— le conseiller d'orientation : il donne des informations sur les études et sur les métiers pour aider les jeunes à faire leurs choix.

Le travail

Les secteurs de l'économie

— l'agriculture, la pêche, les mines
— les industries automobiles, textiles…
— les services : le transport, le commerce, l'éducation, la santé
— le secteur public ≠ le secteur privé

Les personnes

— les travailleurs indépendants ≠ les salariés/les employés
— les collègues/les collaborateurs
— les employeurs/les patrons

La vie en entreprise

— organiser/participer à des réunions
— travailler en équipe
— monter un projet
— faire des bénéfices
— négocier un contrat
— demander une augmentation de salaire
— obtenir une promotion

Le travail et le salaire

– avoir un travail ≠ être au chômage
– un travail à temps complet ≠ un travail à temps partiel
– un contrat à durée indéterminée (CDI) ≠ un contrat à durée déterminée (CDD)
– un emploi stable ≠ un emploi précaire
– avoir un bon salaire ≠ avoir un petit salaire

Remarque : Ces listes sont ouvertes ! D'autres réponses sont possibles pour compléter les fiches.

Activité 3 – page 81

1.

Oui, les robots peuvent remplacer les hommes au travail.	Non, les robots ne peuvent pas remplacer les hommes au travail.
2. Les robots libèrent les hommes des tâches pénibles et dangereuses.	1. Le travail est une valeur importante dans nos sociétés : il donne un sens à la vie.
3. Dans les pays développés, il y a de moins en moins de personnes qui travaillent car la population vieillit. Donc on a besoin du travail des robots.	4. Certaines professions nécessitent un contact humain.
6. Les robots ne tombent jamais malades et assurent un service continu, de jour comme de nuit.	5. Les robots vont mettre au chômage les personnes les moins diplômées.

2. a. idée n°5   b. idée n°2   c. idée n°4

3. b)

Boîte à outils : Les tournures de présentation	
Pour présenter un fait	**Pour introduire un exemple**
– De toute évidence, – Il est évident que (+ indicatif) – Il est certain que (+ indicatif) – On observe que (+ indicatif) – On constate que (+ indicatif)	– Ainsi, – Par exemple, – À titre d'exemple, – On a vu par exemple – On peut citer par exemple – On peut donner l'exemple de – Je pense par exemple à… – Je voudrais citer le cas de…

Remarque : Ces listes sont ouvertes ! D'autres réponses sont possibles pour compléter les boîtes à outils.

4. a)

Boîte à outils : Les termes d'énumération

Au début du texte	Au milieu du texte	À la fin du texte
tout d'abord	de plus	pour conclure
en premier lieu	en outre	enfin
pour commencer	ensuite	en somme
avant tout	par ailleurs	en définitive

b)

Les robots font parfois peur. En effet, certaines personnes pensent que les robots peuvent devenir une menace pour les humains, et qu'il faut donc contrôler leur développement. Cependant, on constate que beaucoup de robots ont permis de sauver des vies humaines grâce à leur précision. C'est pourquoi il serait dommage de se priver de leur aide.

c)

Boîte à outils : Les indicateurs de temps

Passé	Présent	Futur
autrefois	actuellement	dans les années à venir
auparavant	de nos jours	à l'avenir
par le passé	ces derniers temps	bientôt

5.

Boîte à outils : Exprimer son opinion

– À mon avis,
– Personnellement, je pense que (+ indicatif)
– Pour ma part, je trouve que (+ indicatif)
– Je crois que (+ indicatif)
– Je considère que (+ indicatif)

6.

Boîte à outils : Exprimer son accord ou son désaccord	
Exprimer son accord	**Exprimer son désaccord**
Je suis (complètement/tout à fait/absolument) d'accord avec vous pour dire que (+ indicatif)	Je ne suis (absolument) pas d'accord avec vous quand vous dites que… (+ indicatif)
Je partage votre point de vue quand vous dites que… (+ indicatif)	Je ne suis pas de votre avis quand vous dites que (+ indicatif)
Vous avez (entièrement) raison d'affirmer que… (+ indicatif)	Je suis désolé(e) de vous contredire, mais…
Je suis pour l'idée de (+ infinitif)	Je suis contre l'idée de (+ infinitif)
Je suis favorable à…	Je suis opposé(e) à

Activité 4 – page 87

3.

Quand j'étais petite, mon père m'emmenait souvent avec lui pour aller faire les courses au supermarché. J'aimais beaucoup l'accompagner dans les magasins : toutes ces lumières, ces couleurs, ces musiques, c'était à chaque fois comme un spectacle ! Dans cette fête, il n'y avait qu'une seule règle : je devais toujours donner la main à mon père. Mais un jour, trop occupée à regarder autour de moi, j'ai lâché la main de mon père, et je me suis perdue dans les allées du centre commercial. Alors je me suis mise à pleurer. Une gentille dame m'a aidée à retrouver mon père. Il était furieux et très inquiet ! Mais il ne m'a pas punie. Et moi, je n'ai plus jamais lâché la main de mon père pendant nos promenades !

4.

Boîte à outils : Exprimer un jugement positif ou négatif	
Porter un jugement positif	**Porter un jugement négatif**
Je trouve que c'est formidable de (+ infinitif)	J'estime que c'est honteux de (+ infinitif)
Je pense qu'il est très utile de (+ infinitif)	Je considère qu'il est absolument inutile de (+ infinitif)
Il est tout à fait normal que… (+ subjonctif)	Je trouve cela anormal que… (+ subjonctif)
J'approuve complètement…	Je désapprouve catégoriquement…
Quelle excellente idée !	Quelle mauvaise idée !

Activité 5 – page 89

1.

	Admiration	Indignation	Compassion
J'ai été très choqué en écoutant l'interview de M. Martin. Ses propos sont absolument scandaleux.		✓	
L'article de Mme Durand sur Virginia Woolf m'a bouleversé. Que de drames dans sa vie !			✓
Les analyses intelligentes de M. Dupont m'ont impressionné. Bravo à ce journaliste !	✓		
J'ai été enchantée par le concert de la chanteuse Juliette. Sa voix est magnifique !	✓		
Je suis surpris par les déclarations de M. Renard. J'ai la désagréable impression qu'on se moque de nous.		✓	

2.

Boîte à outils : Raconter des expériences personnelles
Dans ma vie, il m'est arrivé de (+ infinitif)
Dans mon métier, j'ai eu l'occasion de (+ infinitif)
Avec les années, j'ai compris que (+ indicatif)
Pendant mes études, j'ai appris que... (+ indicatif)

3.

Boîte à outils : Donner des conseils	
Conseiller de faire	**Conseiller de ne pas faire**
Je vous recommande de (+ infinitif)	Je vous déconseille de (+ infinitif)
Il faudrait (+ infinitif)	Il ne faut pas (+ infinitif)
Vous devriez (+ infinitif)	Il vaut mieux ne pas (+ infinitif)
Vous pourriez (+ infinitif)	Évitez de (+ infinitif)
Pensez à (+ infinitif)	N'essayez pas de (+ infinitif)

PRODUCTION ORALE

Activité 1 – page 100

Questions	1	2	3	4	5	6	7	8	9	10	11
Réponses	F	D	H	A	G	C	K	E	B	I	J

Activité 2 – page 102

C'est un appartement de deux pièces qui est situé au quatrième étage d'un immeuble. Quand on entre, en face, on trouve la cuisine et, à droite, le séjour/salon qui fait aussi salle à manger. Le séjour/salon est grand et lumineux, il y a un canapé et des fauteuils pour regarder la télévision. À gauche de l'entrée, il y a d'abord les toilettes, puis la salle de bains avec une baignoire. En face des toilettes, il y a la chambre qui contient un grand lit double et un bureau. Il y a aussi une penderie pour ranger tous les vêtements.

Activité 3 – page 104

Plan	Propos de Franz
1. Titre du film, nom du réalisateur, date de sortie en salles	D
2. Résumé de l'histoire / Présentation des personnages	B
3. Jeu des acteurs ou effets spéciaux	A
4. Opinion sur le film	C

Corrigés

Activité 4 – page 106

3. Dialogue A : situation n° 3
Dialogue B : situation n° 4
Dialogue C : situation n° 1
Dialogue D : situation n° 2
4. On utilise « tu » :
– avec un ami (situation 1)
– avec un collègue qu'on connaît bien (situation 3)
– avec un camarade de cours (situation 4)
On utilise « vous » :
– avec l'employé d'une agence bancaire (situation 2)
5. Situation 1 : faire changer d'attitude votre ami
Situation 2 : obtenir un remboursement
Situation 3 : convaincre
Situation 4 : rassurer
6. Débuter la conversation :
– Dis-moi, Jacques, tu sais que... (A)
– Alors, il paraît que... (B)
– Écoute, Michel, ... (C)
– Monsieur, je crois que... (D)
Protester :
– Oh, quelle mauvaise excuse ! (C)
– Mais c'est incroyable, ça ! (D)
– Ça ne va pas se passer comme ça ! (D)
Faire des reproches :
– ça ne peut plus durer ! (C)
– Mais tu ne te rends pas compte ! (C)
– Il faut vraiment que ça change. (C)
Rassurer :
– Tout va bien se passer, je t'assure. (B)
– il n'y a pas de raison pour que ça se passe mal ! (B)
– Tu te fais beaucoup trop de souci. (B)
– C'est pas compliqué. (B)
– Ne t'inquiète pas. (B)
Demander un service :
– ça t'embêterait de... (A)
– tu ne peux vraiment pas... (A)
– Alors, c'est d'accord ? (A)
7. a) C'est le seul moment où toute l'équipe pourrait se réunir. (A)
Et c'est lui qui vient nous rendre visite ici ? (A)
C'est un sujet qu'on a choisi ensemble, et qu'on connaît bien. (B)
C'est moi qui fais toujours tout dans la maison. (C)
b) Il est parti sans rien dire. C'est lui qui est parti sans rien dire.
Elle déteste le sport. C'est elle qui déteste le sport.
Elle déteste le sport. C'est le sport qu'elle déteste.
Je pars en vacances demain. C'est demain que je pars en vacances.
Je dois aller là. C'est là que je dois aller.
Je pense à mes amis. C'est à mes amis que je pense.

Activité 5 - page 111

1. ☒ vous
2. ☒ négocier
☒ présenter des excuses
☒ vous justifier
3. ☒ C'est tout à fait exceptionnel.
☒ Je suis vraiment désolé.

☒ Je le saurai maintenant.
☒ C'est parce que j'étais très pressé.
☒ Et si je payais la différence de prix ?
☒ S'il vous plaît, soyez compréhensif.
4. Je suis vraiment désolé, je ne savais pas que mon billet n'était pas valable sur ce train.
Je vous jure que c'est exceptionnel.
Merci beaucoup, Monsieur. Je le saurai maintenant.

Activité 6 - page 112

1. 1-c ; 2-a ; 3-b ; 4-b ; 5-c ; 6-b.
2. « Excellent ! » : photo n° 6
« Je n'y suis pour rien ! » : photo n° 2
« Je croise les doigts. » : photo n° 5
« Mon œil ! » : photo n° 3
« Ça ne va pas la tête ? » : photo n° 1
« Ras-le-bol ! » : photo n° 4

Activité 7 - page 113

2. a) ☒ Un système qui permet de savoir où sont les gens qu'on connaît.
b) ☒ Faux
c) ☒ Le danger qu'il représente pour la vie privée.
4. ❶ Ce document est un article extrait du site Internet « Magénération ».
❷ Dans cet article, Fabien Navetat présente le Sniff : c'est un système qui permet de savoir à n'importe quel moment où se trouvent les gens qu'on connaît grâce à leur téléphone mobile. Ce système existe déjà dans plusieurs pays d'Europe. Il a beaucoup de succès mais on peut se demander si c'est une bonne chose pour la vie privée des gens.
❸ Il est évident que ce système présente des avantages, en particulier pour les parents : grâce au Sniff, en effet, les parents sont rassurés car ils peuvent savoir en temps réel où sont leurs enfants. Mais, d'un autre côté, on peut le voir comme un outil de contrôle : on peut imaginer par exemple qu'un patron l'utilise pour surveiller ses employés. C'est vrai qu'on peut choisir de rester invisible, mais est-ce que ce sera toujours le cas ? etc.
❹ En conclusion, je dirais que le Sniff est un outil très utile, mais qu'il peut être aussi un danger pour la vie privée : tout dépend de la manière dont on l'utilise.
5. – le blog : c'est comme un journal intime, mais qu'on publie sur Internet.
– la publicité ciblée sur Internet : c'est quand on visite des sites sur Internet, c'est la publicité qui apparaît et qui change de contenu selon les sites qu'on a regardés.
– le droit à l'oubli sur Internet : c'est la possibilité pour quelqu'un que ses données personnelles soient effacées d'Internet.

Activité 8 - page 117

2. a) ☒ Une critique de film.
b) ☒ C'est l'histoire d'un homme pour qui le temps se déroule à l'envers.

5.

> Si c'était possible de vivre sa vie à l'envers, quel serait l'âge le plus intéressant de la vie ? À la naissance, on saurait déjà à peu près marcher et parler. On serait sans doute moins dépendant qu'un bébé. On prendrait plus son temps pour comprendre le monde. On deviendrait à la fois de plus en plus fort et de plus en plus intelligent. À vingt ans, on aurait beaucoup d'expérience et on serait en pleine santé. Mais le problème, c'est qu'on ne pourrait pas vieillir avec ceux qu'on aime. Le temps nous emmènerait sur des chemins opposés.

Activité 9 - page 120
2. a) ☒ Les garçons sont mieux orientés dans leurs études que les filles.
b) ☒ Les parents.

Activité 10 - page 123
2. a) ☒ L'angoisse à l'idée de commencer une nouvelle semaine de travail.
b) ☒ Dans le monde entier.

Quiz page 132

	Vrai	Faux
1. Enzo est actuellement le prénom le plus souvent donné aux petits garçons.		✓
2. Les prénoms doivent être choisis parmi ceux des saints fêtés dans le calendrier.		✓
3. Les séries télévisées américaines ont eu une influence sur les choix des prénoms en France.	✓	
4. La mode est actuellement aux prénoms composés.		✓
5. Les prénoms ont tendance à raccourcir à cause de l'allongement des noms de famille.	✓	
6. Il est déconseillé de donner un prénom humain à son chien.	✓	
7. On mange du beurre surtout dans le sud de la France.		✓
8. Les habitants du Nord de la France ont une alimentation plus équilibrée que ceux du Sud.		✓
9. Les hommes consomment plus de viande que les femmes.	✓	
10. Les jeunes adultes passent autant de temps à faire la cuisine que les personnes âgées.		✓
11. Le petit-déjeuner est un repas important pour toutes les générations.		✓
12. En France, les dîners entre amis ont aujourd'hui un caractère moins formel qu'auparavant.	✓	
13. La consommation des fruits exotiques s'est développée avec la génération qui a connu l'apparition du réfrigérateur.		✓
14. Les Français passent la majeure partie de leur temps libre devant la télévision.	✓	
15. Les Français passent plus de temps à lire qu'à écouter de la musique au quotidien.		✓
16. Actuellement, les Français achètent plus de DVD que de livres.		✓
17. En moyenne, les ménages français possèdent plus de 150 livres.	✓	
18. Le volley-ball est l'un des trois sports les plus pratiqués en France.		✓
19. Le Home déco consiste à créer soi-même des meubles pour sa maison.		✓
20. Les Français acceptent moins facilement qu'avant de travailler gratuitement pour une association.		✓

LE DOMAINE ÉDUCATIONNEL

Quiz page 140

	Vrai	Faux
1. Les étudiants qui témoignent sont plutôt satisfaits de leur séjour en France	✓	
2. La France fait partie des trois premiers pays que les étudiants étrangers choisissent pour leurs études.	✓	
3. Les étudiants s'inscrivent en majorité dans les écoles spécialisées.		✓
4. Ce sont les sciences humaines qui intéressent le plus les étudiants étrangers.		✓
5. Les frais de scolarité dans les universités françaises sont aussi élevés que dans d'autres pays.		✓
6. Les conditions d'accès à l'université sont les mêmes pour les étudiants étrangers et les étudiants français (à part l'évaluation de leur niveau en français).	✓	
7. Les étudiants viennent en majorité en France pour continuer leurs études à un niveau élevé.	✓	
8. La plupart des étudiants viennent grâce au système d'échanges.		✓
9. Parmi les témoignages, Fredrik a trouvé que le système français avait évolué.	✓	
10. À l'université, les cours sont toujours organisés en petits groupes.		✓
11. À l'université, la présence des étudiants aux cours est toujours contrôlée.		✓
12. À l'université, les connaissances des étudiants sont évaluées une fois par an.		✓
13. Dans les grandes écoles, les étudiants sont plus encadrés que dans les universités.	✓	
14. Le système d'équivalence est le même dans toutes les universités.		✓
15. Le site ENIC-NARIC donne des informations sur les équivalences et délivre des attestations.	✓	
16. On peut rester pendant tout son cursus universitaire dans un petit coin de paradis.		✓
17. Un étudiant débutant son cursus universitaire peut être admis à la Cité universitaire internationale de Paris.		✓

LE DOMAINE PUBLIC

Quiz page 146

	Vrai	Faux
1. Les gîtes sont des habitations louées par les agriculteurs aux vacanciers.	✓	
2. Ils ont été créés à la fin du xxᵉ siècle.		✓
3. Le Ministère du Tourisme a favorisé la création des gîtes.		✓
4. Les agriculteurs ont reçu de l'argent pour rénover leurs bâtiments.	✓	
5. Le succès des gîtes vient en partie de l'allongement des congés payés.	✓	
6. L'intérêt pour l'écologie a aussi contribué au succès des gîtes.	✓	
7. Il existe un guide gratuit des chambres d'hôtes à Paris.	✓	
8. Les personnes qui échangent leur logement sont généralement de milieu modeste.		✓
9. On peut être hébergé gratuitement en France si on accepte de dormir sur un canapé.	✓	
10. Les personnes qui s'inscrivent sur le réseau des « surfers du sofa » doivent décrire l'espace qu'ils offrent.	✓	
11. Les personnes qui veulent profiter des offres doivent décrire leur personnalité.	✓	
12. La ville la plus visitée par les « surfers du sofa » est Marseille.		✓
13. Seuls ceux qui offrent leur canapé sont évalués par un commentaire.		✓
14. Il y a des sites qui proposent des billets de train moins chers que ceux de la SNCF.	✓	
15. La carte *Escapades* de la SNCF offre des réductions même en semaine.	✓	
16. Elle est réservée aux familles nombreuses.		✓
17. Elle permet d'obtenir des réductions sur les billets de train uniquement.		✓
18. Le numéro d'urgence 112 peut être appelé même si on n'a pas de couverture réseau.	✓	
19. Si vous appelez le 112 de la France, vous devez savoir parler français.		✓
20. La carte européenne d'Assurance Maladie est payante.		✓
21. Les stages de cuisine rencontrent de plus en plus de succès.	✓	
22. Il existe des formules rapides qui combinent cours de cuisine et déjeuner.	✓	

Quiz page 152

	Vrai	Faux
1. Le travail de stagiaires aides familiaux est réservé aux femmes.		✓
2. Les jeunes « au pair » doivent s'inscrire à un cours de langues pour avoir une carte de séjour temporaire.	✓	
3. Un jeune peut rester 2 ans dans une famille « au pair ».		✓
4. Dans son témoignage, Caterina dit qu'elle voulait avant tout faire cette expérience pour perfectionner ses connaissances en langues.	✓	
5. Elle considère que son expérience a été positive.	✓	
6. Les programmes européens ne s'adressent qu'aux jeunes.		✓
7. Le programme Leonardo a pour but de faire connaître le monde professionnel aux jeunes.	✓	
8. La période de stage est prise en compte dans le cursus de formation.	✓	
9. Ce qui a intéressé Sandra pendant son stage, c'est avant tout la possibilité de découvrir une région.		✓
10. Ce que Pedro a retenu de son stage, ce sont les possibilités de travailler de façon différente.	✓	
11. Le programme Gruntvig s'adresse aux adultes.	✓	
12. Un stage en entreprise donne toujours lieu à une convention entre les parties prenantes.	✓	
13. La durée du stage en entreprise ne peut pas dépasser 12 mois.		✓
14. La validation des acquis professionnels se fait dans le cadre d'un système de formation.	✓	
15. Dans le cadre de la validation des acquis de l'expérience, 3 années d'expérience permettent d'acquérir des diplômes.		✓
16. Grâce à la VAE, les personnes qui témoignent ont obtenu des diplômes correspondant au travail qu'elles exercent.	✓	

ÉPREUVE BLANCHE

❶ Compréhension de l'oral

Exercice 1

1. L'échange de maison.
2. ☒ un guide de voyage.
3. ☒ ils ont rempli un questionnaire.
4. ☒ de leur connaissance de la langue française.
5. ☒ grâce à la voiture de leurs hôtes.
6. ☒ Les rencontres qu'ils ont faites.

Exercice 2

1. ☒ Parce que c'est un travail qu'ils peuvent faire pendant les vacances.
2. a) des compétences sportives
b) des compétences artistiques.
3. ☒ aussi nombreuses que les hommes.
4. Deux réponses parmi celles-ci : gentillesse, bonne humeur, dynamisme.

5. ☒ exigeant.
6. Deux réponses parmi celles-ci : parce que ce n'est pas bien payé ; parce que les contrats ne durent pas longtemps.

Exercice 3

1. Un document informatif.
2. ☒ un mois.
3. ☒ tous les articles.
4. 50 %
5. ☒ avoir du temps.
6. ☒ dans ces deux catégories.
7. Deux réponses parmi celles-ci : magasins ouverts le dimanche ; service de livraison à domicile ; remboursement des articles soldés.
8. ☒ sur les séjours.

❷ Compréhension des écrits

Exercice 1

	Les hommes à terre		Nullarbor		Tierra del Fuego		Robinson des mers du Sud	
	Oui	Non	Oui	Non	Oui	Non	Oui	Non
Le livre relate des expériences personnelles	✓		✓					
Le livre rapporte des histoires de voyages	✓		✓		✓		✓	
Le livre évoque des rencontres	✓		✓					
Le livre est remarquable pour son écriture	✓		✓		✓			
Le livre suggère des images inoubliables			✓					

• Quel livre avez-vous choisi ? *Nullarbor*.

Exercice 2

1. ☒ l'apprentissage des mathématiques à l'école.
2. ☒ de montrer l'importance de l'écoute.
3. ☒ tente d'exprimer un malaise.
4. ☒ pour qui on est important.
5. ☒ Se demander ce que cette réaction signifie.
6. • ☒ Vrai
Justification : « il a une très grande envie d'y arriver... l'enfant toujours attentif... »
• ☒ Vrai
Justification : « Il recommence et recommence encore jusqu'à ce que, partagé entre l'incrédulité et l'exaspération, il explose... »

• ☒ Faux
Justification : « on n'apprend pas seulement avec sa « tête ».
• ☒ Vrai
Justification : « On ne le dira jamais assez... »
7. Même si cela ne plaît pas aux tenants du cognitifs. / Même si les tenants du tout cognitif ne sont pas d'accord.
8. Ce sont les économies qui pourraient être faites en étant plus à l'écoute. Cela éviterait les séances de rééducation, cours de soutien pour retard scolaire, les cours particuliers.